www.verlag-texthandwerk.de

Die Autorin

Ingrid Frank ist Jahrgang 1964, hat zwei Kinder und lebt in Hannover.

Sie hat katholische Theologie sowie Sozialarbeit (Dipl.) studiert, ist ausgebildet als systemische Familientherapeutin, Supervisorin und Traumapädagogin, arbeitet in einer Jugend- und Familienberatungsstelle.

Sie hat schon viel gesehen, war in der Jugendbildungsarbeit, der Gefängnisseelsorge und aufsuchenden Sozialarbeit für ausländische Gefangene tätig, hat in der Sozialpsychiatrie gearbeitet, ist eine Weile Taxi gefahren, bietet freiberuflich Schreibseminare an. Und liebt das Schreiben …

„ ... gerne mehr, davon träume ich!"

Ingrid Frank

Inga. Eine Auszeit in Mayo

Bibliografische Information der Deutschen Nationalbibliothek:

Die Deutsche Nationalbibliothek verzeichnet diese Publikation in der Deutschen Nationalbibliografie; detaillierte bibliografische Daten sind im Internet über http://dnb.d-nb.de abrufbar.

Für Hilde, mit Dank für all „die Wörter".
Für Reinhard, mit Liebe und Dank
für das „Anfertigen von Bildnissen".

Inga bin nicht ich. Und Inga gibt es nicht ohne mich.

Inga ist in Donmar cottage, Ballycastle (Mayo)/Irland
entstanden, wo ich von Dezember 2016 bis Mai 2017 gelebt
habe. Die Begegnungen dort und die Geschichten im Buch sind
nicht identisch; vielmehr waren sie Vorlagen, die mich in der
Phantasie literarisch beflügelt haben.

Meine Kinder, mein Partner, Freundinnen und Freunde haben
mich dort besucht. Kollegen haben Arbeit übernommen, nette
Menschen meine Wohnung zwischenzeitlich bewohnt. Dank
an alle – besonders Jule, Hannes, Reinhard, Dina, Olga, Bärbel,
Gerald, Ela, Jutta, Rike, Sabine und Hannah.
Neben Janet und Donal Hughes, die mir ihr Cottage zur Verfü-
gung gestellt haben, danke ich allen Bekannten und Freunden in
Irland für ihre Gastfreundschaft, ihr Interesse und ihre Freundschaft. Vor allem Breda und Peter, Gretta und Aideen.

Besonders froh bin ich, Maria Al-Mana als „Hebamme" und
Lektorin für dieses Buch gefunden zu haben.
Danke sehr für viel, viel Textarbeit!

Hannover im September 2017, Ingrid Frank

Inhalt

Hier? Dort? Wo?

Sie war sich nicht sicher, ob sie dortbleiben mochte, wo sie war. Wo Inga gearbeitet, gelebt und geliebt hatte, fühlte sie sich jetzt ausgehöhlt und müde. Das Leben war zur Routine geworden und schmeckte immer öfter fad. Das strengte sie an.

Die Sehnsucht saß ihr in den Eingeweiden, manchmal klopfte sie heftig. Im Kopf. Dieses Gefühl zog sie sanft, nicht selten beißend, oft nahezu schmerzhaft. Und war doch in seiner Ausrichtung völlig vage, diffus. Das zähe Nagen im Innern hörte nicht auf, im Gegenteil. Inga konnte es immer weniger ignorieren.

Da entschied sie sich, eine Auszeit zu nehmen und zog sich für fast ein halbes Jahr von allen und allem zurück.

Mit Flügeln an eine fremde Küste

War es ein Anfang, ein Ende, ein Übergang? Inga begann etwas, das im Unklaren lag.

„Wann fängt eine Aus-Zeit an?", fragte sie sich.

Dann, wenn man sie plant? Wenn man weiß, man hat jetzt so und so lange Zeit – nur Zeit? Wenn man abreist, „leaving on a jetplan"? Wenn man ankommt: „here I am"? Wann kommt man an? Was bedeutet es, in einer Auszeit anzukommen?

Inga hatte so getan, als wüsste sie das alles, als sie sich verabschiedet hatte.

Das Flugzeug brauchte gut zwei Stunden, um in Dublin zu landen. Zusammen mit Zug- und Busfahrt sowie der letzten, unwegsamen Strecke mit dem Leihauto bedeutete das, einen Tag zu reisen. Es war kein Fliegen, e-her ein Anruckeln. In Etappen, an einem einzigen Tag.

Sie hatte einen Ort im County Mayo an der Nordwestküste Irlands gewählt. Ein Cottage, direkt am Meer.

Es war Winter. Sie würde dort wohnen können und dafür das „housekeeping" übernehmen: Enten und Hühner versorgen, den Hund und die Katze füttern, das Haus in Schuss halten. Der Deal fühlte sich stimmig an.

Ankommen bedeutete, sich einzurichten: zum nächsten Supermarkt weit weg zu navigieren, Lebensmittelvorräte anzulegen, das in sich gekehrte Bad zum Fließen zu bringen, das Gehirn so zu trainieren, dass die Hand links die Schaltung sucht und der Kopf rechts in den

Rückspiegel schaut, in die braunbeigeweite Umgebung einzutauchen, sich mit dem Geflügel, dem Hütehund, der Katze vertraut zu machen.

Die Ouvertüre an ihrem Küstenort wurde von einem Aufmarsch an Zweifeln begleitet. Während der Küstenwind die Wolkenbilder stetig veränderte und das Meer gegen die Felsen donnerte, hämmerte es wie synchronisiert Fragen in ihrem Kopf: Was soll das? Was will ich hier? Warum bin ich hier? Warum so lange weg?

Die Willkommensparade war lang: „Die Auszeit heißt Sie willkommen – treten Sie ein!"

„Salutieren und irgendwo abbiegen, das wäre eine Möglichkeit", dachte sie. Nur: wohin abbiegen? „Soll ich nicht vielleicht sofort wieder zurückkehren?"

„Warum lässt du das Vertraute, Arbeit, Freunde, Alltag einfach los …?" Diesen Refrain hörte sie immer wieder.

Sie entschloss sich, den Aufmarsch zu überfliegen. Sie wollte sich in den beißenden Wind hineinlegen, das Salz auf den Lippen spüren, in die Wellen schauen und fliegen. Über alle Zweifel hinweg fliegen. Dem Übergang trauen: Die Luft könnte tragen.

Ihre Ohren kamen zuerst an. Und verlangten Aufmerksamkeit: Sie hörte den Regen tropfen, plätschern, nieseln, klatschen.

Sie hörte den Wind, der das Haus umzingelte, viele Dinge klappern ließ. Die Katze, die hereingelassen werden wollte.

„Hallo du", sie streichelte das schwarz-weiße Fell und verstand das vorsichtige Miauen als ein ihr freundlich entgegengebrachtes „Hallo!"

Sie hörte, wenn ab und zu ein Auto am Cottage vorbeifuhr. Manchmal war es ein Traktor, manchmal die Müllabfuhr.

Sie hörte die Enten schnattern.

Und hörte den Hund tappen. Der hieß James, bewachte die Enten und kam abends ins Haus; dann brummte die Heizung.

Die Klospülung lief ohne Unterbrechung. Der Klempner erklärte ihr, warum das so war. Sie verstand ihn nicht: nicht sein Englisch, nicht seinen Witz, nicht die Spülungstechnik.

Sie hörte die unterschiedlichen Handysignale piepen, das Feuer im Kamin knistern, das Nudelwasser kochen, das Besteck klappern. Die Alltagsgeräusche machten die Stille laut.

Sie hörte den deutschen Nachrichtensprecher, wie er von Aleppo berichtete und danach das Wetter ansagte. In Deutschland war kalter Winter.

Sie hörte Tracy Chapman singen und sang mit.

Und immer wieder hörte sie die bangen Stimmen in ihrem Inneren: „Wirst du das aushalten? Was machst du hier eigentlich?" Und: „Dein Geld wird nicht reichen!"

Sie hörte, wie sie darauf wartete, jemanden zu hören, Worte zu hören.

Sie sah, wie die Ohren der Katze gespitzt waren, wie der Hund ihren Gedanken zuhörte, wenn sie ihn streichelte. Manchmal meinte sie, die Tiere sprechen zu hören.

Sie hörte ihr Herz schlagen.

Sie roch: Das Kaminzimmer roch nach Benzin und Holz, ihre Finger stanken bald schon nach Kaminanzünderbenzin. Die Küche sonderte noch muffige Gerüche ab, wie all die anderen, lange unbenutzten Räume. Bald schon würde sie Broccoli, Rosenkohl und Backkartoffeln riechen.

Die Hühner und Enten rochen nach Geflügelhof: Kalk und Wiese und Federn. Das Futter stank, stechend unnatürlich. Die Luft draußen war weich und feucht, kühl. Und roch nach Himmel und Gras.

Das Brot duftete nach Sirup und dunklem Getreide, ihr schwarzes Leihauto roch neu. Und in dem Pub, in den Jolie und Dave, die Nachbarn und Besitzer des Cottages, sie mitgenommen hatten, roch es nach malzigem Guinness und Melancholie.

Die kleinen Geschäfte im Ort rochen billigsüß oder muffigkühl und die Supermärkte steril. Das Meer schäumte salzige Gerüche aus. Der Insgesamtgeruch brauchte noch einen Namen.

Und Inga erblickt die neue Umgebung: Außerhalb des Fensters sieht sie Grün. Viel Grün. Ein gewölbter Bergrücken liegt gegenüber dem Haus, je nach Licht geht ein grünbraunes oder rötliches Schimmern von ihm aus. Außer dem Grünrötlichen ist Himmel zu sehen. Viel Himmel. Mit Wolken in unterschiedlichen Farben, Formen, Größen; Himmel in Blau, in Grau, in Blaugrau, in Grauweiß, Himmel mit Sonne, Himmel mit Mond, Regenhimmel, Nieselhimmel, schwarzer Himmel. Jeden Tag sehr viele Himmelsbilder.

Wenn sie die neue Umgebung beobachtet, sieht sie Enten, die im Gras herumlaufen. 14 Tiere, davon ein braunes und ein buntes. Die bunte Ente ist ein Erpel, einen weißen gibt es auch. Sie gruppieren sich immer wieder neu. Eine Ente ist anders, die läuft immer ihren eigenen Weg. Die Hühner picken Körner und Gras und staksen auf der Wiese herum. Zwischendurch jagt der Hund einem abgekauten Tennisball hinterher. Manchmal kommt die Katze ans Fenster und miaut, so als wisse sie, dass sie dann hereingelassen werden könnte.

Menschenmüde war Inga in einer menschenleeren Gegend angekommen. Vorher hatte sie sich lange angestrengt, alles richtig zu machen und gerecht zu sein. Es recht machen zu wollen ermüdet, kostet Kraft.

Sie trug eine Jacke, die war grün, wie das Land. Sie fühlte sich beschützt und geborgen darin.

Sie wollte Wörter finden für das, was ist, was war und für das, was sie wollte.

„Was war gut? Was war schlecht?" Solche Fragen verloren an Bedeutung. Ihr Herz schlug. Sie war aufgeregt. Was würde diese Zeit wohl bringen?

Sie setzte sich rechts auf den Fahrersitz in das schwarze Auto und fuhr langsam auf der linken Straßenseite ins nächste Dorf. Dort gab es ein Café. Der Inhaber kochte ihr einen Tee. Der war stark und dunkel. Sie trank ihn mit viel Milch und braunem Zucker. Seine Frau hielt Selbstgebackenes bereit. Das Lokal war mit buntem Tand geschmückt. Über dem Sofa in der Ecke hing ein Schild: „make your smile change the world, not the world change your life."

Inga lächelte unwillkürlich. Sie war froh, jetzt da, jetzt angekommen zu sein. „Wer ist gut? Wer schlecht?"

Ihr Herz schlug.

Sie fuhr zurück in ihr Cottage und dachte: „Es gilt, jetzt bodenständig zu sein, zu wissen, was zu tun ist und in welcher Reihenfolge: Briketts kaufen und Küchenmesser, den Klempner anrufen, die Internetverbindung sicherstellen, Telefonnummern notieren."

Sie wollte „jetzt" sein, „hier" sein, nicht weiter, woanders, tiefer oder höher, sondern verankert da, wo sie gerade stand, am besten bodenständig. Irgendwie. Bodenständige konnten Dinge einschätzen, waren mit praktischer Vernunft begabt, zuverlässig, oft fleißig.

Inga seufzte. Sie hatte Schränke aufgefüllt, den Rückspiegel des Autos eingestellt, Schimmel entfernt und Feuer angemacht.

Sie packte an. Das beruhigte. Sie sagte sich, dass sie es schaffen würde, Fuß zu fassen.

„Will ich schaffen oder will ich hören?" Sie dachte laut. Bildete sie sich das ein oder war es so? Die Katze erwiderte ihre Gedanken,

„wie ist denn Hören? Das Gras kann man nicht wachsen hören, oder doch? Gedanken kann man nicht hören und Gefühle auch nicht. Oder doch? Verletzungen kann man nicht hören und Traurigkeit auch nicht. Oder doch?"

Eigentlich war es egal, ob die Katze sie verstand oder nicht, Inga sprach weiter: „Ich lese Nachrichten, Gemailtes, Gesmstes, höre Menschen. Will ich sie hören? Welche will ich hören? Wieviel kann ich hören? In mir höre ich Neugier – und Abwehr, Unmut dem Tratsch und Getöse gegenüber und doch Lust, Mitwisserin zu sein, Versteherin, Hörerin. Wird man vom Nichthinhören blind?"

„Im schlechtesten Fall bekommt man blinde Flecken."

Jetzt war es ganz deutlich zu vernehmen, die Katze sprach mit ihr,

„zum Beispiel, wenn man in die Brandung schaut, wie die Wellen wieder und wieder gegen die Felsen schlagen: weiße Gischt, so stark, dass sie erschlagen könnte. Wie blinde Flecken." Inga war es recht. Sie streichelte das Tier. Verwandelte die Stille ihr Hören?

Wie sie die Stille aushalte und mit der Zeit zurechtkomme, hatte ihre Freundin Natascha gefragt. Inga überlegte: „Gab es Stille?" Die Geräusche waren laut: Der Kühlschrank brummte, die Enten schnatterten, der Regen plätscherte, das Meer klang täglich anders, der Wind pfiff mal mehr, mal weniger.

„Die Zeit ist anders als die Enten, mit denen ich zurechtkommen muss", schrieb sie Natascha und es war ihr gleich, ob die das verstand.

„'Ich ergebe mich', hätte ich schreiben sollen, statt ‚ich komme zurecht'", sagte sie – zur Katze gewandt. Die gähnte und antwortete: „Die Dinge kommen auf uns zu, sie lassen sich hören. Die Zeit ist ein Riese, eine unregelmäßige Linie."

„Ja."

Inga freute sich. Sie begann, sich mit der Katze anzufreunden.

Überraschungsbesuche

Inga wohnte in der Searoad, Ballycastle. Das ist im Gegensatz zu Gallows Hill, dem Galgenhügel am anderen Ende des Dorfes, die vornehmere Straße in diesem Ort, der nur wenige Straßen hat.

Auf dem Galgenhügel, da, wo etwa drei oder fünf Häuser weit voneinander entfernt an einem unbefestigten Weg stehen, sei einmal ein Lehrer gehenkt worden, hatte man ihr berichtet.

Zum Dorfboulevard „Searoad" gelangt man, wenn man den Dorfkern passiert: eine Durchgangsstraße, die von einem kleinen Lebensmittelladen, einer winzigen Poststation, der riesigen Kirche, zwei heruntergekommenen Pubs und einigen müden Häusern markiert wird. Genaugenommen ist die Searoad ein asphaltiertes Sträßchen, das direkt zum Atlantik führt, zu einem Stück Küste, an dem neben Steinen, Tang und Algen auch genug feiner Sand liegt, um dort weich zu spazieren und – wenn es die Temperaturen erlauben – auch zu baden.

Ab „strand" wird die Straße noch enger und windet sich entlang der Küste, durch moorige Schaf- und Kuhweiden, am Fuß des Downpatrick Head, einem Felsgiganten im Wasser, weiter zum nächsten Küstenort. Immer wieder stehen einzelne Cottages entlang des Weges. Einige verfallen, einige werden zum Verkauf angeboten, manche sind bewirtschaftet oder von zugezogenen Sonderlingen, meist Künstlern, bewohnt. Menschen, die die wechselhafte Küste, deren Licht und das weite Grün zu schätzen wissen, ja: lieben.

Ein Japaner habe sein besonders lichtes Cottage so hergerichtet, dass die Sonne von der Frontseite hindurch scheinen könne und man vom Weg aus durch die großen Fenster das Meer sähe, hatten Dave und Jolie erzählt. Und dass das erste Haus nach „strand" von einem Schweden bewohnt werde, von Ole. Früher sei er sehr gastfreundlich und offen gewesen, habe andere oft eingeladen, gut gekocht habe er auch. In den letzten Jahren sähe man ihn aber nur noch selten.

Donmar Cottage, Ingas vorübergehendes Zuhause, besteht aus zwei Häusern, die nebeneinanderstehen und die Reihe der Häuser bis zum Strand fast abschließen. Nur ein Milchwirtschaftsbetrieb und ein etwas pompöseres Haus, das offensichtlich nur selten bewohnt wird, stehen dahinter.

In der Searoad befinden sich außer diesen Cottages noch einige massivere Häuser mit gediegenen Holztüren, größeren Auffahrten, Zäunen oder Natursteinmauern – alle einige Meter von der Straße zurückversetzt. Möglicherweise sind es diese Häuser, die die Searoad zum „besseren Viertel" machen.

Inga verspürte nie besonderes Interesse für diese Häuser und ihre Bewohner, die so beliebig Altbekanntes ausstrahlten.

Die Searoad ist zwar asphaltiert, dennoch bleibt sie ein schmales Sträßchen, gesäumt von windschiefen

Ginsterbüschen, Dornengestrüpp, Gras und Straßengräben, die das Ausweichen bei Gegenverkehr, besonders im Dunkeln, schwierig machen, da Straßenlaternen fehlen.

Vieles war so, wie es immer schon war. Die Bewohner kannten sich untereinander ebenso gut, wie sie ihre Straße kannten. Sie fuhren umsichtig und wussten aus dem Stegreif Haltebuchten zu erfinden. Inga mochte das freundschaftliche Winken, den Gruß, das Lächeln im Vorüberfahren.

Mittags, wenn das Postauto seine Runde fuhr, sah sie den ein oder anderen Jogger die Straße zum Meer entlanglaufen. Oder vereinzelt Leute aus dem Ort mit ihren Hunden bis zum Strand spazieren, wo die Tiere dann mit Wonne losrannten, um Höhlen zu buddeln, Stöcke zu finden und dabei vor Vergnügen zu bellen.

Einen Hundebesitzer mochte sie wegen seines freundlich-verlegenen Lachens und seiner ebenso freundlichen Hündin. Inga war ihm auch im Ort einmal begegnet – ein schüchternes Lächeln, um dieses Gefühl zu signalisieren. Denn was gäbe es auch schon zu sagen in dieser fremden Vertrautheit, die durchaus verstörende Züge hatte?

Inga stellte, wie immer, nachdem sie die Tiere versorgt, ihr Bett gelüftet, und ihren Morgenkaffee beendet hatte, die Radio-Nachrichten ein, während sie den Computer hochfuhr, ein paar Dinge von hier nach dort räumte, um dann die nächsten zwei Stunden an ihrem Schreibplatz am Fenster zu verbringen.

Da klingelte es an der Tür. Mittwochvormittag. Wer konnte das sein?

„Hallöchen, junge Frau", der Tonfall kam ihr bekannt vor, sie hatte den Mann schon einmal beim Einkaufen getroffen, er sprach deutsch mit schweizerischem Akzent. Kuno also, der zusammen mit Gabi etwas abseits des Dorfes wohnte. Sein Unternehmen mit Verbindungen nach Irland hatte es ihm möglich gemacht, sich hier anzusiedeln.

„Junge Frau ist zwar etwas übertrieben, aber anyway: guten Morgen, Kuno!"

„Störe ich?"

„Wie man's ...", er ließ sie nicht ausreden, trat wie selbstverständlich in den Flur, „schön hast du' s hier. Ziemlich viel Platz für dich allein. Machst du mir einen Kaffee?"

Inga setzte Wasser auf, Kuno redete weiter, „die hätten die Wände hier besser isolieren sollen, alles keine Qualität, na ja. Und die sanitären Anlagen? Funktioniert auch eher recht als schlecht, hab ich recht? Ha! Ganz schön viel Platz für dich alleine", er musterte sie von oben bis unten. Ein Blick, der Inga veranlasste, sich selbst zu begutachten: Jeans und Pullover, Strickstrümpfe, die Haare mit einer Spange hochgesteckt. Manchmal mochte sie sich so.

Das Wasser kochte. Brodelnde Geräusche. Inga bot ihm keinen Espresso an – sie überbrühte Pulverkaffee, blieb neben dem Wasserkocher stehen.

21

„Gutes Neues Jahr nachträglich!" Er sprach laut, stand auf und drückte sie ganz unvermittelt an sich. „Gutes Neues Jahr" murmelte sie, entzog sich seinen Armen und fixierte die Markenuhr an seinem Handgelenk.

„Ich musste mal raus, meine drei Frauen können manchmal ganz schön nerven!" Er meinte seine zwei Schäferhündinnen und Gabi, seine Frau.

„Und dann dachtest du, du kommst mich besuchen?"

Kuno überhörte den Unterton in ihrer Stimme,

„gute Idee, nicht wahr? Es wird doch Zeit, dass wir uns mal näher kennenlernen!"

Inga schwieg. Draußen schnatterten die Enten.

Kuno schlürfte seinen Kaffee, „hast du auch Kekse, am besten mit Schokolade? Wir Schweizer mögen das ..." Wortlos reichte sie ihm die Packung, die auf der Anrichte gelegen hatte.

„Wir kennen uns doch gar nicht", wandte sie ein.

„Wir sind hier in so einem kleinen Land quasi Landsleute, deutsch oder schweizerisch, das ist doch dasselbe hier. Außerdem weißt du ja, ich steh auf deutsche Schäferhunde ... Und du warst mir gleich sympathisch. Nur ein bisschen einsam siehst du aus. Könntest mal etwas Spaß vertragen. Noch nicht so viel Iren kennengelernt, was? Na ja, so attraktiv sind die Bauern hier ja auch nicht. Ha!" Er machte einen Versuch, ihr auf die Schulter zu klopfen. Sie trat zur Seite.

„Bist doch wohl nicht schüchtern! So siehst du nicht aus. Einsam schon, aber nicht schüchtern. Meine Frau wüsste jetzt gern, wo ich bin. Die passt gut auf mich auf."

Er grinste, „aber manchmal geht sie mir auch auf die Nerven. Haste Glück, dass dir hier keiner auf die Nerven geht. Ha! Aber Enten misten kann einem doch auf die Nerven gehen, odrrrr? Ich bin froh, dass ich gar nichts mehr tun muss. Nur ins Grüne gucken und den lieben Gott einen guten Mann sein lassen und meine drei Frauen um mich rum, das ist ein Leben! Dieses Jahr hatten wir über Weihnachten jede Menge Schweizer Gebäck da: Basler Brunsli, Springerle, Mailänderli, Chräbeli ... das ganze Zeug, da wird einem richtig heimelig. Nur auf meine Figur muss ich dann aufpassen. Hab mich doch gut gehalten, oder? Du scheinst hier eher irisch einzukaufen?" Er schaut sich um, „na ja, manches schmeckt ja auch." Sein Redefluss hatte gerade erst begonnen.

Inga setzte an zu sagen, dass sie mit ihrer Arbeit nun fortfahren wolle, er Gabi grüßen solle und sie sich ja mal zu dritt verabreden könnten; aber ihre Anstrengung, diese Worte hervorzubringen kam gegen seinen gewaltigen Redestrom nicht an, „asketisch lebst du hier. Ha, das kann ja nicht gesund sein!" Wieder ein Versuch, sie zu berühren, dem sie sich nur haarscharf entziehen konnte, „früher war ich oft in Thailand auf Dienstreise. Schöne Frauen, mandeläugige Nixen, eine schöner als die andere, süß wie meine Weihnachtsplätzchen, das waren noch Zeiten. Hier sind sie ja eher spröde, die Menschen. Sogar die Frauen. Ha. Freunde habe ich ja überall in der Welt." Er malte sein Bild weiter, ungeachtet irgendeiner

Reaktion. Inga fühlte leichte Übelkeit aufsteigen, sie würde gerne rauchen, ihm den Rauch ins Gesicht blasen, ihm den Kaffee über die Finger mit dem Siegelring gießen, ihm die Packung Kekse in den Rachen stoßen.

Was musste sie tun, um Kuno wieder loszuwerden? In Brasilien sei er auch schon gewesen, Karneval in Rio, „Riesending, du solltest dir auch mal was Vergnügliches gönnen, oder. Da tanzen die barbusigen Brasileiras auf den Tischen, dass das Holz nur so knackt. Na ja, das ist bei der Qualität dort ja auch nicht schwer. Ha! Und Süßigkeiten gibt es dort ..." Er leckte sich die Lippen.

Inga war nun endgültig übel. In Sao Paulo gäbe es eine Bar, da könnten die Iren sich mit ihrer Musik eine Scheibe von abschneiden, obwohl die ja auch nicht schlecht sei. Es sei Gabis Idee gewesen, nach Irland auszureisen. Er habe früher öfter hier zu tun gehabt, lange Geschichte, Gabi wäre oft mitgekommen, hätte die Küste sofort geliebt und ihn dann davon überzeugt, gemeinsam hierher zu ziehen, „sie mag die Ruhe und die Landschaft. Ich ja im Prinzip auch. Erst einmal habe ich das Haus richtig renoviert, die machen ja hier nur halbe Sachen, alles Stückwerk. Ha! Na ja, und die drei Frauen halten mich ja wie gesagt auch auf Trab ..."

Der weiße Post-Kombi hielt passgenau vor dem Küchenfenster. Wenn Paddy, der Postbote, ausstieg, tauchte immer zuerst sein kerzengrade gezogener Scheitel auf.

„Hi Paddy", Inga winkte ihm zu, „how are you? Oh, two more letters for me. You make me happy for today,

Paddy." Der Postbote errötete, als er ihr die Briefe überreichte, „if you want … I want to inform you: the irish
dancing class starts next tuesday", er war schon wieder
auf dem Weg zu seinem Auto, um in der Zeit zu bleiben,
aber auch, weil es ihm Schutz vor dem kläffenden James
bot, „Yes I know. Probably I'll come." Inga lachte, „you
want a cup of tea, Paddy? "

„No time, but thanks a lot!"

Kuno verabschiedete sich hastig. Seine drei Frauen
würden gewiss schon warten.

Inga kraulte die Katze; seit sie sie einmal abends am
Strand aus den Augen verloren und dann wiedergefun-
den hatte, achtete sie mehr auf das Tier. Fast waren sie
Freundinnen geworden. Die Katze schmiegte sich an sie,
„was beschäftigt dich?", hörte Inga in ihrem Schnurren.

„Diese Schweizer, da oben auf dem Berg …", setzte sie
an, der Katze zu erklären, „jetzt kommt Kuno und bringt
mich beinah zum Kotzen; gestern Abend stand schon
seine Frau vor meiner Tür, diese graue Maus, Gabi. Was
wollen die nur von mir?"

Inga ging in die Küche, um sich endlich selbst eine
Tasse Pulverkaffee aufzubrühen, verrührte die Instant-
körner mit Milch, genoss das Geräusch, wenn die Mischung mit dem heißen Wasser übergossen wurde und
ging, die Tasse mit der hellbraunen Brühe vor sich her-
tragend, wieder zu ihrem Schreibtischstuhl, wobei die
Katze sie aufmerksam beobachtete:

„Es ist ungewöhnlich, wie du hier lebst. Allein, so lange Zeit in dieser Einsamkeit. Das macht sie neugierig. Außerdem sprichst du ihre Sprache. Jedenfalls eine ähnliche Sprache. Das verbindet", kam es schnurrend aus der Ecke.

„Ich weiß. Mich verbindet aber nichts mit denen. Dieser Kuno hat mich angeekelt. Und Gabi ...??" Inga ließ deren Besuch Revue passieren: Kunos Frau hatte eine hellblaue Vliesmütze auf, eine Taschenlampe und Schokolade dabeigehabt. Sie stand gegen halb acht abends vor der Tür, reichte Inga die Tafel Schokolade: „Hier, für dich. Nougatgeschmack. Darf ich reinkommen?"

Inga hatte noch die Brille auf, die sie nur zum Lesen trug, die dicke Jacke und Wollsocken an, „na ja, wenn dich mein Outfit und der Geruch nach Kaminanzünderbenzin nicht abschrecken, komm rein." Sie führte Gabi in das Kaminzimmer; der kaputte Sessel, die Decke voller Hundehaare und der Geruch nach Staub und Asche drängten sich angesichts des Besuchs in den Vordergrund.

„Ich mache das nie." Gabi sah zu, wie Inga die Torfbriketts zum Brennen brachte, schaute in die Flammen, „das macht Kuno bei uns, und ich glaube, wir haben auch einen besseren Kamin", Gabi lächelte verlegen, ihre Augen nahmen den Raum ins Visier.

„Pass auf, der Sessel ist nicht wirklich stabil. Some tea? Oder lieber ein Guinness?"

„Du hast Guinness zu Hause?!"

Inga holte zwei der schwarzen Büchsen aus dem Kühlschrank, stellte Gläser auf den Tisch. Ihr fiel das bunte Kinder-Senfglas-Motiv darauf zum ersten Mal auf. Was sollte sie mit der ordentlichen Gabi, deren Cottageeinrichtung sicher farblich und stilistisch fein komponiert war, hier anfangen?

„Es wirkt irgendwie interessant, wie du hier lebst", sagte die Katze später. Was hätte für Gabi interessant sein können?

„Inga, hast du eigentlich einen Mann? Ich meine, es geht mich ja nichts an …",

„ich hatte mal einen …, und auch jetzt lebe ich nicht ohne, wenn du das meinst. Warum?"

Gabi seufzte, „ich würde auch gerne mal so eine Zeit allein haben", ihr rollte eine Träne über die Wange und hinterließ eine helle Spur im perfekten Make-up-Beige.

„Es ist hier eher einsam …" Warum sollte Inga ihr erzählen, dass sie Freundschaft mit einer Katze geschlossen hatte, die spärliche Dusche mittlerweile ebenso genoss wie ihre Post, jeden Morgen den Tag mit einem englischen Gedicht begann, dass sie Geräusche und Bilder sammelte, Wörter aufschrieb und alles in allem dieses Dasein gerade sehr genoss?

„Ich habe mich verliebt!", ganz unvermittelt sagte Gabi das, setzte sich dabei sehr aufrecht hin, um dann entschlossen fortzufahren, „und Kuno darf das aber auf keinen Fall erfahren! Ich hab gedacht, hier wird alles besser. Es war es nicht mehr auszuhalten die letzten paar Jahre zu Hause, in dem Nest bei Basel. Das Geld hatten wir ja ... und ich war schon als Jugendliche ein Irlandfan – das müsstest du doch verstehen, oder? Jedenfalls habe ich dann vorgeschlagen, hierher zu ziehen ... Er hat sich sehr in den Hauskauf und die Umbaumaßnahmen reingesteigert."

Ohne eine Reaktion abzuwarten, fuhr sie fort: „Die Ruhe hier ist keine Ruhe. Er kann sich nichts mehr beweisen. Nur mir. Und ich genüge ihm wohl nicht. Ich tue, was ich kann ... aber er macht mich wahnsinnig." Sie weinte.

Inga überlegte, ob sie irgendwo Papiertaschentücher hatte. Sie mochte nicht aufstehen. Sie goss Bier nach,

„cheers!"

„Also, in Wahrheit ist es die Hölle mit ihm. Meine Güte, was erzähle ich da?" Gabi hielt erschrocken inne.

Inga prostete ihr ein zweites Mal zu,

„du hast dich verliebt und jetzt musst du das irgendwem erzählen, weil du sonst nicht weißt, wohin mit dir? Das ist in der Regel so bei Verliebtheit. Bei mir jedenfalls."

Gabi nickte: „Ein sehr einfühlsamer Mann. Wir hatten gleich einen Draht zueinander. Da lag was in der Luft ..."

Der Korken war geöffnet und nun sprudelte es aus Gabi nur so heraus: „Wegen der Grundstückssteuer waren wir in Dublin. Auf der Behörde. Kuno ist anschließend im Hotel geblieben. Wahrscheinlich an der Bar. Es war erst kurz vor fünf. Ich wollte ein bisschen in der Stadt bummeln, vielleicht etwas einkaufen, Menschen sehen. Ich bin entgegen meiner Gewohnheit ganz alleine losgezogen. Erst in ein Café, super Cappuccino und Gebäck, wie es das hier auf dem Land nicht gibt. Dann ein bisschen im Botanischen Garten flanieren. Ich hatte die Zeit vergessen, Kuno würde vielleicht mit mir essen wollen. Vielleicht auch nicht. Je nachdem, wen er an der Hotelbar mit seinen Geschichten beeindrucken könnte. Deshalb habe ich ein Taxi gerufen. Brian, so hieß der Fahrer, der so charmant gelächelt hat. Er hat meine Stimmung sofort erkannt, wie ich aus dem Park kam, diese Sehnsucht, die die Blumen und die Anlagen und der Himmel in mir hervorgerufen haben!"

Sie habe ein bisschen geweint, als er sie gefragt hatte, ob sie traurig sei. Das passiere ihr normalerweise nicht. Er habe ihr Komplimente gemacht und sich um sie bemüht. „Er ist einen Umweg gefahren", Gabi lachte, „einen ziemlich großen Umweg. Na ja, wir haben uns lang unterhalten, Brian und ich, und zum Schluss hat er mir einen Kuss gegeben. Das ist doch kitschig oder? Ich kann ihn einfach nicht vergessen … Er smst mir … Wenn Kuno das erfährt!"

„Auf Brian", Inga schaute Gabi an, hob ihr Glas „und jetzt?"

„Ich würd ihn so gerne wiedersehen. Er stammt eigentlich aus Cavan, das ist gar nicht soo weit weg von hier. Da ist er manchmal. Den Job hat er halt in Dublin. Seine Frau hat ihn wohl verlassen, ich weiß nicht genau."

„Klingt so, als trefft ihr euch bald in Cavan."

„Meinst du?"

„Wie gesagt, du klingst so."

„Oh mein Gott. Du redest doch darüber mit niemanden?"

„Vielleicht mit der Katze, oder mit James, dem Hund ... Sonst ist hier keiner, Gabi."

„Mein Gott, wie hältst du das nur aus?"

„Du hältst Kuno aus ..."

Gabi weinte nun hemmungslos. „Wenn ich die Hunde nicht hätte ...", sie wischte sich über das mittlerweile arg verschmierte Gesicht, eine Haarsträhne klebte ihr an der Backe.

„Brian hat eine sehr angenehme Stimme und wenn er lächelt ... Er hatte Musik angestellt im Auto: Amy Mc Donald, die hat mir aus dem Herzen gesungen. Was mach ich jetzt nur?"

„Kuno weiß das bislang nicht?"

„Kuno?"

„Ja Kuno, ich meine ..."

„Kuno sagt mir jeden Tag, dass ich launisch bin und wohl in den Wechseljahren. Dann lacht er ziemlich bescheuert. Das ist schwer auszuhalten. Na ja und manches andere auch nicht, du weißt schon ..."

Inga wusste nichts mehr zu erwidern. Sie wollte nicht mehr wissen. Gabi und Brian, was ging sie das an? „Besuch ihn. Erzähl Kuno irgendwas. Arzt, Dorfkoller, selbst Auto fahren wollen ... keine Ahnung. Der Brian tut dir vielleicht gut. Also … Es wird dich nicht von der Kunofrage und dem, wie ihr hier lebt, entbinden …"

Gabi zitterte.

„Wie kommst du nach Hause? Soll ich dich fahren?"

„Laufen ist weit …"

„Du bist gelaufen?"

Gabi nickte. Inga griff zum Autoschlüssel, seufzte. „Komm!"

James guckte dem Auto hinterher, die Katze strich ums Haus.

Inga hatte Gabi einfach an der Einfahrt zum Cottage der beiden Schweizer abgesetzt, nicht gesagt, dass sie gern wiederkommen könne, hatte dünn gelächelt, war viel zu schnell gefahren, die Musik auf volle Lautstärke gedreht.

James hatte gebellt, als sie die Auffahrt hochgeprescht kam, die Katze war ihr um die Beine gestrichen. „Morgen! Morgen erzähl ich euch alles. Okay?"

Jetzt streichelte Inga das glänzende Fell der Katze, ging bald darauf ins Bett, rollte all die verwirrenden Gedanken und Gefühle in sich ein, schlief tief und traumlos.

Zwei Tage später klingelte Ingas Telefon. Warum habe ich Gabi nur meine Nummer gegeben, dachte sie, als sie registrierte, dass dieses Klingeln nur von Gabi sein konnte.

„Brian schreibt mir weiter. Ich muss jetzt gut aufpassen, wo ich mein Handy hinlege", begann sie unvermittelt, sobald sie merkte, dass Inga angenommen hatte.

„Gabi, ich bin dabei, die Enten zu füttern, ich …",

„Inga, hast du das wirklich so gemeint, ich meine: Soll ich ihn treffen? Ich könnte Sligo vorschlagen. Dann, wenn Brian in Cavan ist. Kuno würde denken, ich gehe dort shoppen – es gibt dort ein paar bessere Geschäfte, du weißt schon … und für Brian wäre es auch nicht so weit … Es gibt da ein hübsches Viertel, das sie klein Venedig nennen, ein paar nette Restaurants … Inga, soll ich das tun?"

„Gabi – ich kenne weder dich wirklich noch Brian und überhaupt, steht es mir nicht zu, dir zu sagen, ob du einer Verliebtheit nachgehen sollst oder nicht. Leb es aus oder lass es … Ich muss jetzt wirklich die Tiere füttern …"

„Ich dachte ja nur. Es war gut, dir alles anzuvertrauen … Brian hat mir Fotos von sich geschickt. Ich leite sie dir mal weiter, dann hast du einen Eindruck … Und: Entschuldige die Störung!"

Inga zog sich die schwarzen Gummistiefel, die Regenjacke, ihre Arbeitshandschuhe an, „genauso sieht eine Beziehungs- und Lebensberaterin aus", belehrte sie die Katze und stolzierte mit den übergroßen Stiefeln, an denen der getrocknete Schlamm klebte, auf und ab, „meine Damen und Herren, haben Sie Lebens- oder Liebesprobleme, kommen Sie zu mir!"

James wedelte mit dem Schwanz. „James, ich glaube nicht, dass du zu meinem Klientel gehörst. Dann schon eher die Enten da draußen, die zu zwölft um zwei Erpel rumschnattern. Oder noch dümmer, diese ganzen Hühner: Ein heiser schreiender Gockel, der die herumstolzierenden Damen verrückt macht. Vielleicht sollten die sich mal zu Brian ins Taxi setzen ..." James wedelte weiter mit dem Schwanz. „Komm James, die Damen brauchen ihre layerpellets. Klingt wie Hormontabletten. Vielleicht für straffere Haut oder glänzendere Federn ..."

Inga wuppte die Schubkarre und schob sie durch den Garten.

„Brian, Brian ..." Was mag das für ein Typ sein, der dieser sauermilchkäseblassen Schweizerin Extrafahrten durch Dublin offerierte?

Ihr Handy blinkte, als sie mit Füttern und Misten fertig war.

Sie wusch sich die Hände absichtlich lange, betrachtete die rote, aufgesprungene Haut, cremte sie mit Bedacht ein, bevor sie die Nachricht abrief.

„So sieht er aus": drei Fotos von einem Mann mittleren Alters, grau bereits, Dreitagebart. Ein Profilbild, Inga zoomte es heran, dunkle Augen offenbar, ein Bild in einer Küstenlandschaft, eines vor einem Taxi. Brian, der Taxifahrer mit Jeans und aufgeknöpftem Hemd, mal mit, mal ohne Wetterjacke. Ein bisschen verwegen sah er aus, keinesfalls geschmacklos. „Warum um Gottes Willen schaue ich mir diesen Brian so genau an?" Sie wusste, dass die Katze auf dem Boden saß und ihr zuhörte.

„Ein bisschen bist du eben auch neugierig. So viele interessante Männer gibt es hier nicht."

„Was weißt denn du von Männern?"

Die Katze schnurrte.

„Was weiß denn ich von Männern", murmelte Inga vor sich hin und überlegte, ob sie sich Nudeln oder Kartoffeln kochen sollte – zu dem restlichen Gemüse vom Vortag. Da klingelte das Handy wieder. Reflexartig ging sie dran,

„und?"

„Gabi, wir sind doch keine Schulmädchen. Er sieht nett aus, aber es kommt ja wohl nicht darauf an …"

„Findest du? Ja, das ist er auch. Mehr als nett. Also, du meinst wirklich, dass ich ihn treffen sollte? Ehrlich gesagt, habe ich ihm geschrieben, dass ich ab und zu in Sligo einkaufen gehe … vielleicht kommt er ja auf die Idee …"

„Hm, … ich will gerade kochen."

„Jetzt, ist das nicht ein bisschen spät, um zu essen? Das ist ungesund! Also, wenn er auf die Idee kommt, dass wir uns da treffen, dann schlage ich diese italienische Trattoria an der Ecke vor der Brücke über den Garavogue vor. Romantisch ist es da. Kuno erzähle ich, dass ich ein Kleid habe ändern lassen und warten musste, eine Kleinigkeit essen war inzwischen, oder so ähnlich … aber wird für ihn Sligo überhaupt infrage kommen? Und Kuno …"

„Gabi, probier es aus. Ich möchte jetzt kochen und essen. Leb doch einfach, tu, was dir gut tut …"

Gabi erzählte unbeirrt weiter: Dass Brian ihr im Taxi erzählt habe, dass er früher einmal Künstler werden wollte, er modelliere Plastiken. Davon könne er aber nicht leben. Seit neun Jahren fahre er mittlerweile Taxi in Dublin, immer sechs Wochen, dann sei er zwei Wochen in Cavan in seiner Werkstatt. In Dublin arbeite er tags und nachts, er habe nur ein kleines Zimmer dort.

„Brian könnte mich auch interessieren", vertraute Inga später der Katze an, „der Typ artist and taxidriver kommt hier im Geflügelhof eher nicht vorbeigefahren", sie stellte die Musik ein. Sang mit. Die Katze sprang von Stuhl zu Stuhl.

„Stell dir vor, meine Liebe, ich würde anrufen, wo auch immer: ‚Taxi bitte – zur Küste, unten im Nachbardorf!', und dann käme einer und würde erstmal eine Sightseeingtour mit mir unternehmen und mir Honig um den Bart schmieren … na ja, den Bart hast ja eher du …", sie streichelt die Katze,

„und angenommen, das wäre so?", die Katze neigte den Kopf, ihre grünen Augen funkelten,

„dann, meine Liebe, würde ich ganz bestimmt nicht Gabi anrufen und ihr von dieser Fahrt erzählen. Bestenfalls dir. Oder es in meinen PC schreiben, der schweigt wie ein Grab und macht sich keine eigenen Phantasien, so wie ich."

„Aber mir würdest du es erzählen, das mit dem Taxifahrer …?"

„Was mit welchem Taxifahrer? Meine Süße, es gibt hier gar keinen Taxifahrer, ich brauch auch keinen. Und wenn hier einer ankäme, säße er wahrscheinlich auf einem weißen Schimmel, fände die Gänsemagd und würde sie schnurstracks in eine Prinzessin verwandeln. Ab jetzt mit dir – ich möchte allein sein."

Die Katze buckelte, maunzte laut, bis sie zumindest etwas von dem Gemüse abbekommen hatte und verzog sich dann in eine Ecke.

Brian, Brian ... Inga schaute sich das Foto noch einmal an. An wen erinnerte sie dieser Brian bloß? Sie schloss die Augen, ließ Bilder hochsteigen, die von weit herkamen.

Später wachte sie davon auf, dass die Katze ihr auf den Schoß sprang,

„ich glaube, du solltest schlafen gehen – ich meine, wenigstens ins Bett gehen."

„Ich glaube, du hast recht, Frau Naseweiß", Inga gähnte und setzte ihre Träume unmittelbar fort, sobald sie sich unter ihrem blumenreichen Bettzeug eingerichtet hatte.

Als Inga aufwachte, hörte sie Vögel auf dem oberen Rand des Kamins zwitschern.

Anfangs hatte sie dieses aufgeregte Piepen Mäusen zugeordnet und schon überlegt, wo sie Fallen herbekommen könnte, wie sie mit Mäusen im Haus leben würde - und ob überhaupt. Und war dann erleichtert, als sie feststellte, dass es kleine Vögel waren, die auf dem Kaminschacht saßen und ihr Lied pfiffen, das als Fiepen zu ihr ins Haus drang. Sie stellte sich die Vögel im Kamin vor, wie schwarz und verloren es da sein musste, hoffentlich fiel keiner rein.

Die Briangeschichte und Gabis Anrufe hatten sie aus dem Takt gebracht, ihrem Takt, ihrem Leben mit den Tieren, ihren Büchern, dem Schreiben am Computer …

Sie knipste ihr Handy an, schaute Brian an. Irgendwoher kannte sie diesen Mann. Ihr fiel es nicht ein.

Gabis Pläne, ihre schwärmerische Art, sich dieses Dinner beim Italiener vorzustellen, Kuno, dieser Widerling … irgendwas passte da nicht!

„Hey du, guten Morgen", die Katze strich um ihre nackten Beine. Es gab bislang keinen Namen für ihre neue Freundin. Aber an diesem Morgen hatte sie das Bedürfnis, ihr einen zu geben,

„meine namenlose Freundin, wie magst du heißen?"

Die Katze miaute, zwinkerte,

„Sophia, die Weise – Sophie – wär dir das recht?"

Die Katze strich fester um ihre Beine, was Inga als Zustimmung auffasste,

„meine Sophie-Katze, dann trag deinem Namen mal Rechnung, gnädige Frau …",

„als ob ich das nicht schon die ganze Zeit täte!"

„Okay, ist ja schon gut. Mir geht Gabi auf die Nerven und ihren Brian kenn ich irgendwoher …"

„Nerven könnten das Stichwort sein … Ich hab Hunger!"

Inga seufzte. Sie hatte auch Hunger. Hunger nach Gesellschaft; Hunger, etwas zu bekommen, etwas anderes als Besuche von Kuno oder Anrufe von Gabi. Sie ging duschen, als könne sie die Gedanken an dieses merkwürdige Paar abduschen.

Heute fühlte sie sich von dem viel zu dünnen Strahl des Wassers beleidigt.

„Ich will mehr. Mehr, mehr, mehr von allem ..." Sie weinte, fühlte sich elend. Selbst das Handtuch, in das sie sich einwickelte, kam ihr schäbig vor.

Was fiel dieser albernen Gabi ein, in ihr Leben einzudringen, sie mit diesem Brian zu behelligen ... Inga dachte an die Brians in ihrem Leben: Schwärmereien, Liebschaften, Liebesgeschichten.

„Die Sache mit der Liebe ist kompliziert", sie füllte Sophies Schälchen mit etwas Futter, das von James ebenso, setzte sich – immer noch in das Handtuch gewickelt – an den Tisch.

„Nackt. Ich fühl mich nackt"

„Bist du ja auch", Sophie hatte den penetrant riechenden Inhalt ihres Schälchens schon verschlungen.

„Ich meine nicht Hose und Pullover ...",

„ich weiß."

„Trotzdem ziehe ich jetzt Hose und Pullover an und frühstücke auch. Aus die Maus mit der Philosophiestunde!"

„Maus ist keine schlechte Idee", Sophie sprang davon.

Inga dachte an Karl. Sie sehnte sie sich nach ihm.

"Woher kenne ich diesen Brian?", die Fotos, die Gabi ihr geschickt hatte … Irgendwie kam ihr das alles merkwürdig vor. Sie konnte sich nicht konzentrieren, fühlte sich unruhig … Ein paar Anläufe, um irgendwas zu arbeiten, etwas zu schreiben, zu sortieren. Alles misslang.

Sie beschloss, einen größeren Ausflug zu unternehmen, setzte sich ins Auto und fuhr aufs Geratewohl die Küste lang, stieg irgendwo aus, ließ sich von Wind und Wellen umfangen – das hatte noch immer geholfen -, lief, bis sie müde wurde, setzte sich in ein kleines Café an der Straße, bestellte „tea und scones", die nach Beheimatung schmeckten und stellte die Musik im Auto dann so laut, dass daneben kein einziger Gedanke mehr Platz hatte.

Am Abend ließen sich die Enten erstaunlich leicht in ihren Verschlag zurückbringen, als wüssten sie, dass sie heute gnädig sein mussten mit ihr, dass Inga heute keinerlei Zickerei ertragen würde.

„Wie kleine Kinder sind sie", Inga war froh, als sie Sophie nah bei sich spürte,

„und du, du bist wie eine dieser ewig sich überfordernden Mütter",

„was weißt du denn von Müttern …? Komm, wir gehen rein!"

Inga zündete die Briketts an, kochte eine Kanne Tee, dazu noch heißes Wasser für die Wärmflasche auf dem Bauch, stellte sich Nüsse bereit und fühlte sich für einen weiteren Abend allein gewappnet. Sie vertiefte sich in ihren Roman, genoss die Tränen, die sie im Miterleben einfach laufen ließ, sie las und las.

Ein fürchterliches Geschnatter holte sie aus ihrem Trancezustand. Wild aufgeregtes Entengeschrei, Flügelschlagen, die Hühner hatten sich anstecken lassen und gackerten lauthals mit. James hörte nicht mehr auf zu bellen.

„Um Gottes Willen, was ist da los?" Inga suchte ihre Taschenlampe. Die lag im Badezimmer.

Draußen war es stockdunkel, dazu die aufgeregten Tiere, aber es waren nicht nur die Tiere. Da stand auch noch Gabi, direkt neben dem Geflügelstall, rumpelstilzchengleich, schlug immer und immer wieder mit einem Gegenstand auf das Dach des Geflügelhauses, krakeelte unzusammenhängende Worte, nahm Inga, die sich ihr langsam näherte, erst gar nicht wahr und blieb dann, als sie sie bemerkte, mit weit aufgerissenen Augen stehen,

„ich hasse dich. Ich hasse alle. Hate, fuck off!" Sie wollte wieder zuschlagen, ungeachtet des Hundes, der wild um sie herumrannte, bellte, sie zu beißen drohte, ungeachtet des immensen Entengeschnatters, Hühnergegackers.

Inga ging auf Gabi zu, packte sie am Arm. „Gabi! Gabi, hör sofort auf damit!" Dieser Ton war Inga selbst fremd, sie wiederholte den Satz noch eine Spur schärfer, „Hör auf damit, Gabi!"

Gabi roch nach Alkohol, die Haare wild zerzaust, der Blick wirr.

Ingas fester Griff bewirkte, dass die Anspannung in Gabis Körper nachließ und sie in sich zusammensank. Fürchterlich schluchzend.

„Gabi, um Gottes Willen, was ist los? Steh auf! Los!" Inga kickte den Stock, mit dem Gabi den Stall bearbeitet hatte, zur Seite, schaute nach, ob der Verschlag des Gänsestalls noch geschlossen war, sprach irgendetwas Beruhigendes durch das Gatter, streichelte James, der immer noch knurrte und suchte nach Sophie, die mit aufgerissenen, grünfunkelnden Augen an der Hauswand stand.

„Komm!" Inga zog Gabi ins Haus, setze sie auf einen Sessel und ging neuen Tee kochen.

„Was um Himmels willen soll ich mit ihr anfangen, die ist doch nicht nur von Whiskey und Bier derartig konfus", Inga schaute hilfesuchend zu Sophie,

„erstmal schlafen lassen!"

„Hier bei mir?"

„Wo sonst?"

„Oh du Inbegriff der Weisheit, ich fürchte, du hast Recht."

Inga bracht Gabi einen Becher, voll mit stark gesüßtem, heißen Tee. „Trink! Ich mach dir derweil das Bett!"

Inga registrierte Blutergüsse in Gabis Gesicht, „Ich hasse dich", nuschelte Gabi, ihre Augenlider fielen zu, sie rutschte im Sessel nach vorn.

„Trink den Tee und komm!" Inga wandelte ihren Abscheu und die eigene Wut in nahezu perfektes Offiziersgebaren um.

Sophie folgte Inga in das kalte Zimmer, wo auf Stockbettlatten Wäsche zum Trocknen hing und im danebenstehenden Einzelbett allerlei Decken auf ihren Einsatz warteten. Inga zog eine x-beliebige heraus, suchte einen Überzug, schmiss die restlichen Decken in die Ecke. Gemütlich wollte sie es Gabi hier wahrlich nicht machen.

„Zieh die Schuhe aus und leg dich hin!" Auf Kommandos reagierte Gabi prompt. Inga stellte ihr vorsichtshalber eine Schüssel vors Bett, bevor sie sich vor dem Kamin in ihren Sessel fallen ließ,

„um Gottes willen ...", sie nahm Sophie auf den Schoß, „das kann ja heiter werden."

„Eher traurig, oder nicht?"

„Sophie, du bist nicht weise, du bist rechthaberisch! Ich bin so froh, dass du da bist."

Sie streichelte die Katze lange. Bis sie selbst zu Bett ging.

Inga träumte wirr. Sie musste in einer sehr steinigen Gegend etwas erledigen und wusste nicht mehr weiter. In einem unbekannten Zimmer lag sie in einem großen Bett, der Raum war voller Menschen, manche beugten sich über sie, Männer und Frauen, angezogene und nackte, es war eine Art Landschulheim, sie sollten sich in einer Reihe aufstellen, Inga fand sich nicht zurecht. Sie sollte etwas reparieren …

Als sie aufwachte, vermisste sie jemanden, der neben ihr lag und sich nicht wundern würde, wenn sie beim Aufwachen, statt „Guten Morgen" irgendetwas von „reparieren müssen" erzählen würde. Vermutlich würde derjenige dann sagen: „Du schaffst das schon" oder: „Ist doch schon wieder heil." Sie vermisste eine Stimme, eine Orientierung, einen Halt.

Stattdessen hörte sie deutliches Weinen, lautes Schluchzen.

„Gabi!" Die Bilder der vergangenen Nacht tauchten vor ihr auf. Jetzt einfach liegenbleiben, weiterträumen! Sie zwang sich, das Licht anzumachen, ging in die Küche, setzte Wasser auf, um sich einen Kaffee zu machen.

Kuno hatte sich in der Nacht nicht gemeldet, jedenfalls nicht bei ihr. Vermutlich wusste er gar nicht, dass seine Frau hier war.

„Möchtest du einen Kaffee?", Inga blieb in der Küche, wartete auf eine Reaktion. Gabis Schluchzen hatte einen eigenen Rhythmus.

„Was mach ich jetzt?" Inga trank ihren Kaffee sehr heiß, „ich muss mit ihr reden. Und dann?"

„Du musst vor allem auch die Enten füttern. Und die Hühner. Die haben Hunger nach der Aufregung vergangene Nacht. Ich übrigens auch. Und James, wie ich ihn kenne, ebenso."

Inga grinste Sophie an: „Das ist eine reale Sache!"

Die Enten schnatterten an diesem Morgen hastiger, die Hühner plusterten sich nervöser auf als sonst. Inga war nicht sicher, ob das so war oder ob sie es sich einbildete.

„Good morning everybody", sie schüttete die Körner aus, hätte die Hühner gern in den Arm genommen und gestreichelt, die Enten beruhigend auf dem Schoss gewippt, „kommt so schnell nicht wieder vor", murmelte sie stattdessen, füllte die Näpfe von James und Sophie und ging sehr langsam wieder zurück zum Haus.

Gabi war inzwischen aufgestanden: „Sie sind hinter mir her!"

„Wer ist hinter dir her?"

„Die, die was dagegen haben, dass ich Brian kennenlerne".

Inge atmete tief: „Gabi, hat Kuno von Brian erfahren?"

„Sie wissen genau, was ich tue, hören mein Handy ab, lesen meine Sms. Aber die kriegen mich nicht." Gabis Stimme war monoton, der Blick starr geradeaus,

„Gabi, Brian heißt nicht Brain, sondern Liam. Und Liam Cunningham ist ein Schauspieler und kein Taxifahrer. Wo immer du die Fotos her hast, vermutlich nicht von ihm."

Nach den verstörenden Ereignissen im Garten hatte Inga gestern Abend kurz vor dem Einschlafen das dringende Bedürfnis gehabt, noch einmal zu duschen. „Liam

Cunningham, das war der Mann!", war ihr unter der Dusche schlagartig eingefallen. Im Schlafanzug musste sie noch einmal an ihren Arbeitsplatz gehen und im Internet nach Bildern suchen: Da war er, der „Taxifahrer" Brian. Den Schauspieler hatte Gabi bestimmt nicht getroffen – was war also los mit ihr?

„Ich hasse dich! Du gehörst möglicherweise auch zu denen." Gabis Augen wurden schmal, „ich wusste es gleich"

Inga holte Luft ...

„Lass sie!" Sophie kam ihr zuvor, „lass sie, nicht diskutieren!"

„Aber was dann?" Inga flüsterte verschwörerisch Richtung Katze, da meldete sich Gabi zu Wort: „Ich habe Durst, sehr viel Durst!"

Inga füllte ein Glas mit Wasser, reichte es ihr. „Die Blessur hier", sie zeigte auf Gabis rechte Kopfseite – von der Stirn zog sich bis über die Schläfe ein dunkler Bluterguss – „gestoßen? Oder Kuno? Oder ...?"

Gabi fühlte mit der Hand ihre Wange, „scheiß egal, du Verbrecherin", murmelte sie.

Inga musste an sich halten, „Gabi, ich ruf jetzt Kuno an. Du kannst hier nicht bleiben!" Sie sprach wieder im Ton einer Oberaufseherin, hatte bislang gar nicht gewusst, dass sie diese Tonart so gut beherrschte.

Gabi veränderte ihre Miene nicht.

Inga erreichte Kuno, der offenbar im Auto rumfuhr, „ich suche sie ja schon, sie haut manchmal ab, scheint in letzter Zeit ein bisschen plemplem … Frauen um die 50, ha … meist sitzt sie im Pub, wo sie normalerweise gar nicht hingeht. Oder sie läuft singend über eine Schafweide. Ich sag ja …"

„Kuno, es reicht. Komm her und hol sie ab!"

Kuno versuchte, als er Ingas Cottage betrat, die Atmosphäre mit ein paar Witzen, wie er das nannte, aufzulockern: „Eine Frau ohne Hintern, na, was sagt man dazu?"

Inga wartete die Antwort nicht ab: „Gabi braucht Hilfe!"

„Die müsste vielleicht öfter …"

„Gabi braucht Hilfe, Kuno. Und nun geht bitte! Beide! Sofort!"

Danach ließ Inga ihren Tränen freien Lauf, trat dabei gegen die Wand, dann nahm sie James an die Leine und ging mit ihm ans Meer.

„Ich brauch dich …", schrie sie in den Wind, der schon wissen, würde, wen sie meinte. „Karl", sagte sie zu James, „er heißt Karl."

Am Abend schaute sie sich einen Film an, den sie sich ausgeliehen hatte: „Ein Ire sieht schwarz". Liam Cunningham in der Hauptrolle.

Eine Frau, ein Stein und ein Beobachtungsposten

Ingas Blick wurde von Tag zu Tag schärfer: Sie genoss „ihr" Stück Küste, das täglich unterschiedliche Variationen seiner Ausdrucksvielfalt zeigte. Himmel, Meer und Wind vermochten den Sand stets unterschiedlich zu falten, immer andere Wurzeln fassten sich Steine, um sich daran festzuklammern, die Wolken und das Licht hielten Millionen eindrucksvoller Bilder bereit, die Wellen suchten die Umarmung mit dem Land, mitunter gelangweilt, aber auch zärtlich verspielt, oft wild und ekstatisch, sogar furchteinflößend.

James geriet stets neu in eine Art Freudentaumel, sobald sie für einen gemeinsamen Spaziergang den kleinen Küstenstreifen erreichten. Er rannte los, wälzte sich im Sand, buddelte ein Loch, lief auf und ab und bellte vor Freude: „Ist es nicht großartig hier! Wie schön, dass wir hier sind!"

Schon von weitem sah Inga jemanden unten im Sand sitzen. Etwa in der Mitte des kleinen Strands, recht nah am Wasser, hatte sich wer niedergelassen – wie zu einem Picknick. Unscharf nahm Inga Dinge wahr: Textilien, eine Tüte, eine Decke.

Hier gingen ab und zu Dorfbewohner spazieren, meist mit Hund. Aber es war Januar und selbst für abgehärtete Naturen keine Jahreszeit zum Baden; wegen des

Windes zudem zu unwirtlich, um sich zum Lesen, Essen oder Schlafen müßig am Ufer niederzulassen.

Inga näherte sich.

Die Sitzende war eine Frau, die sich nach ein paar Minuten erhob, die Textilien einsammelte, in die Tüte stecke, sich vor dem Meer verneigte und dann, als sie bereits im Aufbruch begriffen war, Inga erblickte, ihr etwas länger ins Gesicht sah, als man das üblicherweise zu tun pflegt. Ein somnambuler, durchdringender Blick. Dieser Blick traf Inga. Dann ging die Frau weiter. Sie lief barfuß, weite Kleidungsstücke bunt übereinandergeschichtet, eine Tüte in der Hand. Sie war extrem mager, mochte 35 Jahre alt sein oder 55 oder irgendetwas dazwischen. Es war schwer auszumachen, wo sie nun hingehen würde, in welches der Häuser, zu welcher Alltagsbeschäftigung.

James spielte im Sand.

Inga überlegte: „Meditiert, sie hat offensichtlich meditiert, eine Hippiefrau, Aussteigerin, Yogalehrerin … vielleicht so was", Inga spielte mit ihren Gedanken.

„Was für die eine ein Spaziergang und Zigaretten sind, ist für die andere ihre Meditation", erklärte sie James, der gerade bellend auf sie zu gerannt kam, und zündete sich eine Zigarette an.

Inga atmete den salzigen Tabakrauch ein und dachte an Antonia: Die Kollegin in Deutschland war vor einiger Zeit für sechs Wochen in einen Ashram nach Indien gereist. Sie hatte in der letzten Zeit viel von Bewusstseinsstufen, innerer Reinigung, ihrem Weg gesprochen. Antonia hatte sich verändert, schien verklärter, reiner, fast heilig geworden zu sein, seit sie in eine Yoga-WG gezogen war. Ärgernisse, Kümmernisse, Alltagsgeschäften schienen an ihrer neu wachsenden Haut einfach abzuperlen.

Inga schrieb Antonia eine SMS: „Ich wünsche dir ein gutes Neues Jahr", dann zündete sie sich eine zweite Zigarette an, sog vermeintlichen Patschuligeruch ein und sinnierte weiter: „You can make some Yoga here, if you want", Jolie, die Nachbarin, hatte sie darauf hingewiesen. Im Nachbarort würde das stattfinden. Immer dienstags. Inga liebäugelte mit diesen Yogastunden. Sie wären vielleicht Zufluchten im Alltagsgrau, körperliche und seelische Erquickungen, könnten möglicherweise schützen gegen kommende Anfechtungen, Gefahren. Vielleicht sollte sie diese Yogastunde ausprobieren, „why not?"

Die Unterhaltung mit Jolie hatte im Pub stattgefunden, „Om" machte einer, der zugehört hatte, und ein anderer Gast setzte sich buddhagleich auf seinen Stuhl und lachte schallend. „Om" erwiderte Inga, lachte, bestellte ein Bier.

„I go with you, if you deceide to go there", hatte Jolie ihr zugeraunt.

„James, komm, wir müssen zurück", Inga löste sich aus ihren Gedanken.

„Om" flüsterte sie, und deutete eine Verbeugung Richtung Meer an.

Zu Hause erzählte sie der Katze von der Frau am Meer, und dass ihr deren Blick immer noch nachgehe. Sie erzählte, wie gern sie manchmal auch lieber meditieren würde und stattdessen Zigaretten rauche, dass sie die aber gar nicht vertrage, sie außerdem viel zu teuer seien, dass sie keine spirituelle Heimat habe, an gar nichts glaube und nur unruhig und sehnsüchtig durch die Tage gleite,

„du langweilst mich", unterbrach Sophie Ingas Tirade,

„spiel mit mir!"

Inga nahm eine Gemüsebüchse und rollte sie den Boden lang, die Katze sprang hinterher, versuchte das Blech zu krallen, was ihr nicht gelang, sie fauchte, Inga rollte die Büchse weiter weg, Sophie sprang behänd hinterher, immer schneller, beide lachten.

Inga knüllte eine Kugel aus Zeitungspapier und warf sie zu der Büchse auf den Boden, genussvoll fauchend zerfetzte Sophie den Papierball, die Nachrichten, Kommentare, Bilder verwandelten sich im Nu in wahllose Streifen zerknautschtes Papier, das Sophie über die ganze Wohnung verteilte,

„unzusammenhängende Bruchstücke alles!"

Inga hatte Sehnsucht, das große Ganze zu verstehen oder den lieben Gott ihrer Kindheit zu bitten, alles zusammenzufügen. Stattdessen mehrten und vermischten sich die hingestreuten Risse und Fetzen um sie herum willkürlich mit denen in ihr drin. Das beunruhigte Inga manchmal mehr, manchmal weniger.

Sophie vermochte, mit diesen Fetzen zu spielen.

Paddy parkte sein Postauto akkurat vor dem Haus, „Good morning, the weather has changed, hasn't it?", er überreichte ihr einen Brief.

„Ja, nicht nur das Wetter wechselt ständig", wollte Inga gern entgegnen, ließ es aber bei „yes indeed" und winkte.

Zwei Tage später sah sie bei ihrem mittäglichen Strandspaziergang mit James einen Stein im Sand blinken. Sein „Heb mich auf!" ließ keinen Widerspruch zu. Inga bückte sich und ließ den etwas kleiner als faustgroßen Stein von der einen in die andere Hand gleiten.

James bellte.

„Nein, das hier ist kein Stock und diesen Stein werfe ich auch nicht für dich weg! Geh und buddle ein Loch!", James bellte lauter, bis Inga ihm den nächstbesten Stock irgendwohin warf. Sie wollte sich diesen Stein in Ruhe ansehen. Er war tiefschwarz und außergewöhnlich glatt. Vor allem aber war er von einem silbrig, unregelmäßig gewellten Streifen – war es Metall? – durchzogen, der einer Fieberkurve oder einem EEG-Protokoll glich. Der Streifen blinkte im Licht.

„Ein sehr besonderes Exemplar", Inga nahm den Stein mit, ließ ihn auf dem Weg nach Hause immer wieder in ihren Händen hin und her rollen und positionierte ihn zu Hause auf dem Tisch neben ihrem Laptop, dem Kalender, den bunt herumliegenden Notizen, Briefen, einigen Fotos und Karten.

Je länger der Stein dort lag, desto überzeugter war Inga davon, dass das wellenförmige Band darin metallen war. Der Stein wirkte mal betörend, mal beängstigend, mal beruhigend und dann wieder unheimlich. Inga konnte nicht umhin, ihn immer wieder anzufassen.

Brigid fiel ihr ein: Brigid die Archäologie, die in der nahegelegenen Ausgrabungsstätte arbeitete, prähistorische Funde analysierte und zu sagen pflegte, „I do a little bit of everything". Vielleicht konnte Brigid ihr weiterhelfen.

„Yes, come over!", sie beschrieb Inga ihr Haus, als die sie anrief und etwas umständlich ihr Anliegen ausdrückte, „a stone …"

Brigids Gesicht leuchtete, ihre Augen bewegten sich hinter ihrer unauffälligen Brille auf eine Weise, die andeutete, dass ihr bestimmt nichts entging.

„Cup of tea?" Inga zögerte, willigte nach der dritten Nachfrage ein, genoss die starke, milchigheiße Flüssigkeit und sah sich etwas verstohlen in Brigids Küche um.

Praktikable, schlichte Gegenstände, säuberlich geordnet, keine Speisereste, nichts Überflüssiges. Ganz anders im Hausflur, wo in einer Vitrine allerlei Funde, auf dem Boden größere Felsbrocken und auf dem Fenstersims weitere undefinierbare Dinge drapiert waren.

Inga zeigte Brigid den Stein.

„Strange indeed", Brigid strich über die Oberfläche,

es sei kein natürlicher Stein. Dieser Stein sei bearbeitet. Wo Inga ihn gefunden habe, fragte sie und bemerkte, dass es sie zwar wundern würde, sie aber auch nicht ausschließen könne, dass dieser Stein vom Meer angespült worden sei.

Inga dachte an die Frau, die am Meer meditiert hatte. Sie erzählte Brigid von der Begegnung. Brigid zog ihre Stirn in Falten.

„May be Mary", sagte sie dann.

„Und was ist mit Mary?"

Brigid zögerte.

„Meinst du, der Stein und diese Mary haben etwas miteinander zu tun?", Inga versuchte es erneut.

„May be", die Antwort der Wissenschaftlerin befriedigte Ingas Neugier nicht. Zumindest hatte sie die Bestätigung, dass auch Brigid dem Stein offensichtlich irgendeine Bewandtnis zusprach.

„In diese Richtung", Brigid fing, nachdem sie ihre Teetasse geleert hatte, plötzlich an zu reden, zeigte nach links, „da haben ein paar Leute ein Grundstück gekauft, Land und ein paar verfallenen Gebäude. Ausländer dabei, glaube ich. Es werden immer mehr. Das Grundstück ist komplett mit Stacheldraht umzäunt. Die Leute erzählen sich komische Sachen. Manche meinen, fremde Gesänge zu hören, manchmal liefen merkwürdig bekleidete Personen die Straße herunter, einer verkaufe ab und zu Steine an einem Stand auf dem Markt in Crossmolina. Die sollen Krankheiten heilen. Ich habe das selbst noch nicht gesehen, aber die Leute erzählen das. Ich habe keine Ahnung, was diese Leute wirklich tun, wo sie einkaufen ..."

Brigid ließ den Stein von der einen in die andere Hand rollen, „vielleicht ist dieser Stein so ein Heilungsstein. Ich rufe mal Noreen an, die weiß womöglich mehr."

Noreen wohnte nur zwei Häuser weiter, sie sah nach dem Rechten, wenn Brigid unterwegs war, teilte gern Gebäck oder sonstige Süßigkeiten mit der Wissenschaftlerin und war immer unterrichtet über die neusten Vorkommnisse im Dorf. Eine halbe Stunde später saßen die drei sehr unterschiedlichen Frauen in Brigids Küche bei mehr Tee und noch warmen scones, die Noreen mitgebracht hatte.

„Na ja, ich verkauf ja auch ab und zu was in Crossmolina: Eier, scones, manchmal back ich auch Brown Bread und biete es an." Inga stellte sich vor, wie Noreen, die meist großblumig lila-rosa Variationen mit Jogginghosen, Kittel und Regenjacke kombinierte, ihre Produkte zu Markte trug.

Jetzt kam sie auf die Leute zu sprechen, um die es Brigid ging: „Es fing damit an, dass dort so Kristalle und Steine verkauft wurden, die alle irgendeinen andere Zweck erfüllen sollten und Energie spenden und keine Ahnung was. Dann gibt es da Bergkristallwasser, das ist Wasser, in das Steine gelegt wurden, damit sie ihre Energie an das Wasser abgeben. Mir werden die Besitzer dieses Verkaufsstands immer suspekter. Sie übertreiben es mit der Deko total. Überall stehen so Zwerge und Gnome und Elfen und andere komische Fantasie-Figuren und es hängt so Esoterik-Kram rum, ja und natürlich überall diese Steine und Kristalle. Es sieht mittlerweile nicht mehr wie ein normaler Marktstand aus ..."

Brigid runzelte wieder die Stirn, Inga wollte mehr hören.

„Und kennst du Leute, die da kaufen oder verkaufen?"

„Na ja, Sean der Sohn meiner Freundin und dessen Freundin Sheila, die gehen da wohl hin und ein paar andere auch, Mary zum Beispiel, eine Freundin von Sheila. Und: Die haben sich vor kurzem so eine Art Seminarraum ausgebaut, da drüben ..." Noreen zeigt ins Weite,

„sie nennen das Kraftraum, hat mir meine Freundin erzählt, „So jetzt kommt's: Eines Abends hörte meine Freundin dort so komische Geräusche, summenden 'Gesang' und Trommeln. Sie ist hochgegangen um zu schauen, was da los ist, ob da vielleicht eine Veranstaltung oder so ist. Und da sieht sie, dass die Tür von diesem Kraftraum offensteht, man kann reinschauen und da stehen ganz viele Leute im Kreis, haben lange bunte Leinengewänder an und Mützen mit Zipfeln auf. Die Leute machen komische Stimmen und verbeugen sich in den Kreis. Das ist alles, was ich dazu sagen kann", Noreen schaute erst in die Runde, dann auf den Stein.

„Ja, ich glaub, solche gibt es da. Bestimmt für irgendwas gut, heilt Hautkrätze oder Darmverschluss, oder was weiß ich oder macht, dass der Teufel ausfährt ... hab doch keine Ahnung, was die so denken und tun."

Brigid schwieg.

Inga verabschiedete sich, die Tiere müssten versorgt werden, „Brigid, darf ich den Stein hierlassen? Vielleicht findest du irgendwie mehr heraus. Mir ist er unheimlich."

Brigid legte den Stein auf ein Regal im Flur, neben einige besonders geformte Hölzer und eine getrocknete Wurzel.

„See you ...",

„see you ..."

Zu Hause angekommen, lief James ihr schon mit wedelndem Schwanz entgegen,

„jemand war hier. Sie roch wie eine, die wir beim Spaziergang mal getroffen haben ..."

„Sie hat merkwürdig geguckt", bemerkte Sophie.

Inga setzte sich an den Tisch, meinte Henna und Weihrauch zu riechen und sehnte sich nach den klaren politischen Schlagzeilen in Druckerschwärze aus der deutschen Zeitung. Die lag in kleine Schnipsel zerrissen überall herum.

Die Frau vom Strand klingelte nicht wieder an der Tür und Inga war sich nicht wirklich sicher, ob sie tatsächlich da gewesen war, oder ob James es geschickt geschafft hatte, Aufmerksamkeit zu bekommen.

„James, diese Frau vom Strand – hast du sie wirklich erkannt?"

„Es roch nach ihr."

James Antwort blieb offen, ebenso wie es für Inga offen blieb, ob diese Frau wirklich die Mary war, von der Noreen gesprochen hatte, und ob sie dieser merkwürdigen Gruppierung angehörte. Was mochte da hinter dem Stacheldrahtzaun vor sich gehen? Gehirnwäsche? Sex and crime? Merkwürdige religiöse Praktiken? Inga hatte schon Verschiedenes gehört: von Geistheilern zum Beispiel, die Wasser in Trance mit einem Silberlöffel mit Linksdrehungen in einer wassergefüllten Badewanne rühren. Umgepolt würden sie das dann an Kranke abgeben, und es bewirkte, tja … was?

„Sekten sind das", unterbrach sie ihre Überlegungen, Inga redete auf James ein, der ihr zu Füßen saß, „Seelenfänger, die Mitglieder sind meist irgendwie kurios gekleidet und unterliegen irgendwelchen dubiosen Vorschriften zu Ernährung, Meditation, meist haben sie Fernseh-, Radio- und Computerverbot, müssen ihr Geld abgeben und dürfen mit niemanden außerhalb sprechen."

„Vergiss es, das ist nichts für dich. Und diese Frau, … schwer zu sagen …"

James war an dem Gespräch über die Besonderheiten von Sekten nicht besonders interessiert.

Inga erschrak, als es klingelte. Sollte tatsächlich Mary vor ihrer Tür stehen? Es war nicht Mary, sondern Brigid, ihre Augen funkelten hinter den dicken Brillengläsern.

„Entschuldige, wenn ich störe", sie wirkte außer Atem,

„Brigid komm rein. Ich koch uns Tee." Inga war erleichtert; es tat ihr gut, Brigid wiederzusehen.

„Weißt du Inga", Brigid kam unmittelbar zur Sache, „dieser Stein, ich habe noch einmal darüber nachgedacht. Solche esoterischen Gruppen, wie zum Beispiel die in Crossmolina, die verkaufen Edelsteine oder Versteinerungen mit besonderen Merkmalen oder so. Aber dieser schwarze Stein von dir, da ist Metall drin. Es kann eigentlich nur Blei sein. Verbleien nennt man das, ne uralte Methode um etwas in Stein zu befestigen, also zum Beispiel Türangeln in Steinhäuser. Gabs schon in der Antike. In dem heißen Blei halten die Metallteile bombenfest im Stein. Irgendwie sieht er aus wie ein Stein, der verbleit worden ist, zu irgendeinem Zweck – schau, hier ist ein Metallaustritt, da könnte etwas abgebrochen sein. Das Wasser tut sein Übriges, um den Stein so glatt zu schleifen. Angenommen, er ist irgendwo im Meer gelandet und ständig von den Wellen umspült worden … Weißt du, das mit den jungen Leuten ist mir auch nicht geheuer, aber vielleicht ja auch nicht weiter gefährlich, deren Sache, was die da tun. Und hat mit dem Stein weiter gar nichts zu tun. Man muss immer auch Zufälle annehmen – in diesem Fall Frau und Stein – und neue Hypothesen aufstellen. So arbeite ich, und das glaube ich. Das Leben ist viel zu vielfältig, um schnell einen Schluss zu ziehen aus irgendwas."

Brigid hatte den Stein wieder mitgebracht: „Das Schwarze könnte auch Pech sein, mit dem irgendwas abgedichtet wurde. Dieser Stein hatte möglicherweise eine ganz andere Funktion als zu heilen ...“

Inga stellte den Tee auf den Tisch, sah Brigid staunend an, „in dem Fall hätte diese Mary oder wer auch immer die Frau war, den Stein vielleicht einfach nur gefunden. Oder ich habe ihn gefunden und Mary saß einfach da ...“

„Das wissen wir doch gar nicht genau, oder?“, Brigid nahm ihre Brille ab, sie hatte jetzt ein sehr mädchenhaftes Gesicht, in das die Spuren von Bildung und Wissenschaft hineingegossen waren wie möglicherweise das Blei in den Stein.

„Du hast ja vermutlich schon eine konkretere Hypothese zu deiner Theorie“, Inga nahm den Faden wieder auf,

„Na ja“, Brigid wirkte zögerlich, „mir geht da so was durch den Kopf, aber da muss man vorsichtig sein. Andrerseits, in dieser menschenkargen Gegend, zu was sollte man so ein ausgereiftes Verfahren gebraucht haben, wenn nicht ...“

„Was geht dir durch den Kopf, Brigid?“

„Na ja, du warst doch schon mal auf dem Downpatrick?“

Nicht nur einmal hatte Inga den sanft ansteigenden Küstenstreifen bestiegen, an dessen Ende der Blick hinunter in die Tiefe sowohl schwindelerregend als auch von überwältigender Schönheit ist, und wo sich – einige

Meter von der Steilküste entfernt – ein steinerner Riesen-gigant etwa 40 Meter hoch aus dem Wasser erhebt, der Sage nach ein abgespaltenes Stück Ödland, auf dem ein dem Christentum abtrünniger Fürst als Strafe für immer allein leben musste. Gewaltige Naturschauspiele ereig-neten sich oben auf dem Downpatrick, wenige Kilometer von ihrem Cottage entfernt.

Brigid fuhr fort: „Da oben war im Zweiten Weltkrieg der Lookout Post Nummer 64, also ein Beobachtungs-posten. Wir hatten 83 davon entlang der ganzen Küste, Wetterschutzgebäude von der irischen 'Defence Force'. Na ja, ich könnte mir vorstellen, dass diese Verbindung Metall in Stein, Pechversiegelung irgendwas damit zu tun hatte."

Inga dachte an das zugige Steinhäuschen oben auf dem Downpatrick Head, in Gedanken war sie schon auf dem Weg dort hinauf: Sie fühlte das Laufen über sanft gewölbte Torfplatten kaum spürbar aufwärts, das wei-che Nachgeben des Bodens unter den Füßen, das Federn. Sie spürte die Böen, die heftigen Stürme mit den häufi-gen Regenschauern. Sie mochte diesen Weg, etwa eine halbe Stunde bergan, das Spüren von Weite, nichts, was einengte.

Nun plötzlich musste sie an die Wachtposten denken, die diesen Weg bei Wind und Wetter dort hochmarschie-ren, an der Kante ausharren mussten, wo Schritte keinen Boden mehr finden, wo keine Befestigung darauf hin-weist, dass nur noch Tiefe kommt, unerbittliche Tiefe die Steilklippen hinab.

Unten war verschlingendes Wasser, das seine Kraft, mit der es an die Felsen schlug, je nach Wetterlage mehr oder weniger ungestüm entfaltete.

„Was für Leute waren das, diese Wachtposten?"

Brigid lachte, „normale Bauern, hier aus der Umgebung, immer zu zweit. Gleich 1939 haben sie die rekrutiert. Ganz gut bezahlt wurden sie zwar. Aber die Bedingungen dort oben ... na, du hast es ja gesehen, das kleine Steinhäuschen auf der Klippe. Von dort aus sollten sie die Küste beobachten, Irlands Neutralität stärken und trotzdem den Briten und Amerikanern zuarbeiten. Ja, so war das ..."

Brigid stand unvermittelt auf, „ich muss los. Ich hab zu tun. Soll ich den Stein behalten?"

„Ist mir egal. Jetzt, wo er nicht mehr ,strahlt' macht er mir keine Angst mehr. Aber du kannst vielleicht noch irgendwas herausfinden. Nimm ihn mit. Ich mach mir nur schnell ein Foto", Inga holte ihre Kamera.

Als Brigid weg war, rief sie nach James,

„komm, lass uns laufen. Wir gehen hoch zum Downpatrick!"

„So weit?"

„Okay James, ich geh allein und du passt auf die Enten auf. Das ist dein Job: Als seist du ein Beobachter im Lookout Post und Sophie die Ablösung, okay?"

James verstand zwar nicht, was Inga meinte und was mit ihr los war, gab sich aber zufrieden und trottete davon.

Inga versuchte, sich diese Gegend zu Beginn des Krieges vorzustellen. Hatte man hier überhaupt irgendetwas vom Kriegsgeschehen mitbekommen? Im „neutralen Irland", hier, am „Ende der Welt"?

Inga aß hastig ein Sandwich mit Cheddar Cheese und ging dann sofort los. Sie schmeckte den säuerlichen Geschmack des orangen Käses noch im Gehen am Gaumen, empfand ihn als sehr angenehm und in seiner Eigenwilligkeit sogar irgendwie stärkend.

Auf dem Weg passierte sie den direkt benachbarten, großen Milchwirtschaftsbetrieb. Ein weitläufiges Gelände, Weiden, an der Umzäunung gestapelte Autoreifen, und im Hof ein Viehanhänger, allerlei Geräte, riesige Rollen Futter oder Dünger in Plastik eingeschweißt und eine gigantische, silbermetallene, schräg aufstrebende, dicke Röhre, deren Metallteile mit großen, rostigen Nieten zusammengehalten wurden.

„Eine Rakete, ein Kriegsgerät", dachte Inga unwillkürlich, „bedrohlich steht die Röhre da inmitten der unschuldigen Landschaft" und musste sich mühsam bewusst machen, dass sie im Hof eines Bauern stand. Vor einem landwirtschaftlichen Gerät. Weiter nichts.

Das Bauerncottage wirkte neben den Ställen für die Milchkühe erbärmlich klein. Nicht weiß, wie die übrigen Häuser in der Gegend, sondern mit bemoosten Dachschindeln grau gerandet. Ärmlich sah es aus, ein bisschen heruntergekommen. „Vielleicht hatte hier einer gewohnt, der eine Weile als Küstenwache arbeiten musste", dachte Inga. Sie sah durch die Fenster – die im Vergleich zum übrigen Gebäude recht groß waren – auf einem Fernsehbildschirm das laufende Programm. Auf einem Schrank standen silberne Pokale.

Ob diese Wachen irgendwie ausgezeichnet, honoriert wurden? Was werden sie beobachtet haben?

Auf ihrem weiteren Weg sah sie einen großen, schwarzen Stiefel, der umgedreht über einen Weidezaunpfeiler gestülpt steckte. Der Stiefel – die Röhre: Wer mag hier was getan haben – damals, heute …? Tag und Nacht am Meer?

„Achtung", schien die ‚Rakete' zu signalisieren: „Achtung, Achtung. Auf schwarzen Stiefeln nähert sich Gefahr."

Inga lief den ganzen Weg, erst entlang der Küste, begleitet vom Tosen der Wellen, dann hinauf auf die Anhöhe, bis sie neben den Überresten des Lookout Post Nummer 64 stand. Die Countyverwaltung hatte dafür gesorgt, dass dieser winzige, betonierte Raum am Rand der Klippen als Gedenkstätte erhalten blieb: Er hatte neue Fenster und Türen, was Menschen nicht davon abhielt, in die ehemalige Feuerstelle im Innern zu urinieren oder anderen Abfall dort zu lassen.

„Ein Schandfleck in dieser überwältigenden Natur-Landschaft", Inga hatte schon die Nase gerümpft, als sie zum ersten Mal dort oben stand, ahnungslos, was es mit diesem Ort auf sich hatte.

Merkwürdig mutete sie auch das Stein-Arrangement an, das mit auf dem Boden liegenden Steinen aus der Umgebung in riesigen Lettern das Wort EIRE bildete. Jetzt schritt sie fast andächtig Buchstabe für Buchstabe ab. Hier war Irland: neutrales Land. Und weiter?

Inga beschloss, im Internet nachzulesen, was es mit dieser Markierung auf sich hatte. Sie las Dinge, die mehr oder weniger etwas mit diesem Grenzposten zu tun hatten: Zum Beispiel, dass Irland so neutral war, dass einerseits US-amerikanische Piloten verhaftet wurden, wenn sie in Irland landeten, um zu tanken. Anderseits fanden geheimdienstliche und militärische Kooperationen mit den Kriegsgegnern des Dritten Reichs statt, dem Vereinigten Britischen Königreich oder den USA.

Soweit Inga wusste, hatte dieses Land sich gesträubt, jüdische Flüchtlinge aufzunehmen. Und der irische Premierminister De Valera hatte an den deutschen Botschafter Eduard Hempe in Dublin ein Kondolenzschreiben geschickt, als bekannt wurde, dass Adolf Hitler tot war.

Inga seufzte: Was hatte ihr rudimentäres Wissen über Irland im Zweiten Weltkrieg mit dem Findling vom Strand und diesem Grenzposten zu tun? Was so ein Stein gedanklich alles in Rollen bringen konnte ...

Mittlerweile dämmerte es. In weniger als einer halben Stunde würde es sehr dunkel sein.

Inga schaute noch einmal über den Rand der Klippen in die Felsbucht, wo die Wellen schäumend an den Felsen schlugen. Dann kehrte sie um und dachte darüber nach, was die Wachhabenden dort oben wohl alles beobachtet und in ihr Logbuch notiert haben mochten. Wäre nicht jedes Schiff oder U-Boot an den Klippen zerschellt? Wozu also eine Wache?

Inga empfand so etwas wie ein diffuses, nachgetragenes Mitleid mit den Männern, die stundenlang in diesem Betonverschlag sitzen und aufs Meer schauen mussten.

„Alle Enten noch da?" fragte sie James bei ihrer Rückkehr ins Cottage, „kein feindlicher Fuchs im Anmarsch?" James bellte, offensichtlich irritiert über Ingas Ton.

Die Enten standen aufgereiht vor ihrem Verschlag, ohne dass sie sich entscheiden konnten, geradeaus hineinzuspazieren.

„Gnädige Damen ... auf geht's!"

James neigte den Kopf, Sophie kam über die Wiese gesprungen: „Du bist nervös, stimmt's?"

„Und wenn schon ... rein mit euch. Feierabend!"

Inga fror. Sie wollte Karl von ihrem Besuch des Lookout Posts erzählen. Wollte, dass er ihr etwas kochte, hätte so gern über etwas anderes nachgedacht als über Kriegsallianzen und Männer auf Wachtposten. Sie wollte Gesellschaft.

James und Sophie saßen am Kamin. Keiner gab einen Mucks von sich. Inga setzte Wasser auf, beschloss, sich Spaghetti zu kochen. Und viel geriebenen Käse drüber zu streuen.

Was machte sie so nervös?

Ein Stein vom Strand. Er enthielt möglicherweise Blei, weil darin vielleicht ein Scharnier der Kontrollposten-Betonbutze verankert gewesen war. Kein Stein also, der besondere Heilkräfte hatte – wie zuerst angenommen. Wenn etwas statt esoterisch eher historisch oder militärisch zu verstehen ist – was ändert sich dann? Und wenn es noch eine ganz andere Erklärung gab?

Was war nötig, um etwas in eine andere, ihm absolut nicht naturgemäße Form zu zwingen? Blei als Kitt in Stein zwingen, irische Bauern in militärische Kontrollposten, junge Frauen in merkwürdige Gemeinschaften ... Inga verlor sich in ihren Betrachtungen.

Ein Knall riss sie aus den Gedanken. Vorsichtig schaute Inga sich um, das Licht brannte noch, es war nichts heruntergefallen – erst nach einer Weile merkte sie, dass weder das Wasser auf dem Herd kochte, noch die Tomatensoße wärmer wurde, und dass alle Herdplatten, obwohl eingestellt, kalt waren. Kein Wunder, dass trotz des welken Basilikums auf dem Fensterbrett der Geruch nach toskanischer Osteria ausblieb. „Der Herd also, Strom weg!" Inga suchte ziemlich lang nach dem Sicherungskasten, bemühte sich dann vergeblich, den betreffenden Hebel wieder hochzustellen. Mit lautem Knall signalisierte er, dass irgendetwas kaputt war. Inga gab auf. Also keine Pasta.

Der Wasserkocher funktionierte noch: Sie beschloss, sich mit Tee und Wärmflasche ins Bett zurückzuziehen, ihre Melancholie in warme Bettdecken zu packen und schwere Gedanken zu vertagen.

Ihre schicke Designerwärmflasche! Die war jetzt genau das Richtige: Sie war rund und hatte einen violetten Bezug, nicht schlichtes Gummi in schlachterrot und auch nicht wollbestrickt mit Herzchen darauf, nicht die typisch ovale Krankenhausform – nein, rund und stoffbezogen. Mit einem versenkbaren Verschluss, um das wärmende Wasser einzufüllen. Genau in der Mitte. Die würde ihre eisigen Füße wärmen, den verhärteten Bauch entspannen und das Einschlafen wohlig machen.

Inga sucht den Verschluss der Wärmflasche, sie konnte ihn nicht finden,

„oh nein, Sophie was soll das? Hast du mit dem weißen Drehdeckel gespielt?"

Sophie zeigte sich beleidigt: „Ich sag doch, du bist nervös",

„tschuldigung, aber irgendwie hat die Welt sich gegen mich verschworen", murmelte Inga.

Der weiße Plastikdrehverschluss war unauffindbar – das Designerstück verlor seinen Sinn, die Form ohne wärmenden Inhalt wurde belanglos, würde nicht ihr gefüllter Bauch fest und sicher verschlossen.

Der Verschluss musste doch irgendwo liegen!

Nicht auf dem Boden, nicht auf dem Schrank, nicht versehentlich im Müll, nicht gedankenlos in den Kühlschrank gelegt, nicht im Tassenschrank, nicht auf dem Fensterbrett ... Sophie suchte mit.

"Wo um Himmels willen ...?", Inga versuchte, sich einzureden, dass es nicht wichtig war, ob sie eine Wärmflasche hatte oder nicht. Der Versuch misslang. James leckte sich die Pfoten. Er saß genau auf dem Sesel, auf dem Inga selbst gerne saß: „Blöder Hund, du nervst". James knurrte zurück.

Sie fragte sich, warum sie überhaupt hier saß. Mit diesem Köter und ohne Herdwärme. Warum sie bei orkanartigen Böen versuchte, irregewordene Enten einzutreiben, warum sie darüber nachdachte, wie es sich in einem Kontroll- und Beobachtungsposten angefühlt haben mochte. Sich das noch weiter auszumalen, unterließ sie geflissentlich. Sie fühlte sich so schon mutterseelenallein.

Aus der offenen Wärmflasche stieg Dampf, die Hitze entwich in die Luft. Irgendwann beschloss Inga, zu Bett zu gehen. Ohne Wärmflasche. Ihre Füße waren kalt. Sehr kalt. Sie fror.

Auch ihr Tränenreservoir hatte an diesem Abend keinen Verschluss. Sie dachte an Karl, den sie jetzt brauchte. Genau jetzt.

Inga spürte, dass sie mehr Informationen über die Kontrollposten und deren Funktion haben wollte.

In der Bibliothek, 30 Kilometer weit entfernt, fand sie in den nächsten Tagen zwar einige Bücher zur „Local History", sehr wenig aber über die Zeit des Zweiten Weltkrieges in Irland, noch weniger über genau diese Grenzposten. Immerhin hatte ein österreichischer Installationskünstler sie entdeckt und fotografiert. Ein heimischer Naturliebhaber wies auf die Grenzposten hin und bemerkte in einem Büchlein über „den Weg zu Downpatrick", dass die Männer, die dort Wache schieben mussten, viel zu wenig honoriert worden seien.

Inga war sich selbst nicht im Klaren darüber, welcher Natur die Antriebskraft war, der sie hier die ganze Zeit folgte, dennoch stöberte sie weiter, las Artikel über Irlands Neutralität im Krieg, etwa im Vergleich zur Neutralität der Schweiz oder von Schweden.

„„Neutralität oder neutral, von lateinisch ne-utrum 'keines von beiden', unparteiisch, geschlechtslos, ungeladen, ausgewogen", las Inga. Und ein merkwürdig konturloses Unwohlsein befiel sie.

Sie las weiter: „Die Neutralität eines Staates bedeutet entweder das Abseitsstehen in einem konkreten Konflikt zwischen anderen Staaten oder bezeichnet generell die allgemeine Politik der Neutralität. Von dauernder Neutralität spricht man, wenn sich ein Staat zur immerwährenden Neutralität in allen Konflikten bekennt. Von Neutralismus spricht man, wenn ein Staat sich nicht nur aus Konflikten heraushält, sondern aus grundsätzlichen Erwägungen jegliche Bündnisse vermeidet." Neutralität? Irland den Iren? Und: Was hatte das alles mit ihr zu tun?!

„Küstenwache ...! Fast hätte ich unseren Küstenspaziergang vergessen, James", murmelte sie viel später. Der Hund wedelte mit dem Schwanz,

„vielleicht vermag der Wind, mein Gedankenchaos zu ordnen." Draußen heulte ein Sturm. Inga setzte sich die Mütze mit dem Ohrenschutz auf.

Nichts mehr hören ... Konnte man neutral sein, ohne taub und blind und vielleicht sogar illusionslos, traumlos werden?

Der Hund zog an der Leine. Inga ließ sich ziehen, von James und dem Wind. Gegen den sie kaum mehr ankam.

Der Schwede

Seit sie in der Searoad wohnte, hatte Inga ein ihr selbst schleierhaftes Interesse daran, diesen Schweden kennen zu lernen, der ein paar Häuser hinter dem Strand lebte. Vor seinem Cottage flatterte von weitem sichtbar die blaue Flagge mit dem gelben Kreuz im Wind.

„Was mag das für ein Kautz sein, der sich hier angesiedelt hat, zuerst ganz offen unter Menschen ging und sich dann völlig zurückgezogen hat?"

James schien ihn zu kennen: „Er spaziert immer gegen 16 Uhr an der Küste lang. Er riecht nach Wurst und Holz und Feuer und Rasierschaum."

„Du weißt also, wie Rasierschaum riecht?"

„Klar weiß ich das! Ich weiß so ziemlich von allem, wie es riecht"

„Hm ..."

Rasierschaum. Inga stellte sich das Männergesicht vor, das sich dahinter verbarg. Gedankenverloren fabulierte sie: Männlichkeitsritual, Schaumschlägerei, flockiges Weiß entlässt im Nu ein nacktes Gesicht, entblößt und empfindsam. Rötliches Weich unter der Sahnemaske nur für einen Moment, dem schnell neue Herbheit folgt. Einem rohen Männergesicht Gischt und Frische suggerieren – Rasierschaum verspricht Linderung für einen Moment, wie Schnee, der fällt und taut, der leicht feinwürzig riecht ...

„Wie schön, dass er ihn hat, diesen Rasierschaum", bemerkte sie laut.

James konnte ihr nicht folgen. Er trollte sich davon.

Ein paar Tage später fuhr ihr ein roter Volvo entgegen, ein kräftiger, grau-blonder Mann im Seemannspullover hob die Hand, verzog keine Miene. Und fuhr weiter.

Das musste der Schwede gewesen sein, Inga war sich so gut wie sicher.

„Der schwedische Mann", fragte sie am Abend die Nachbarin, „ist das ein kräftiger Kerl, so um die 60?"

„Ole? Ja, das kann hinkommen", Jolie strich ihre Haare aus dem Gesicht und holte aus, „vielleicht ist er wieder da. Er wollte seine Tochter in Schweden besuchen. Es hieß, sie hätten lang keinen Kontakt mehr gehabt. Kate, du weißt schon, die Verkäuferin in unserem Dorfladen, die hat mir das erzählt. Die war ja mal mit ihm zusammen, damals, als er gerade hergekommen war. Daraus wurde aber nichts ... Na ja, die kitschige Kate, wie wir sie nennen, die jeden Sweetheart oder Darling nennt und nie aus diesem Ort hier rausgekommen ist und er, so ein Weltensegler – das konnte ja nicht gutgehen!", Jolies dramatischrote Lippen signalisierten Entschiedenheit.

Ingas diffuses Interesse wuchs.

Inga ist ein schwedischer Name. Und seit Inga wusste, dass sie einen schwedischen Großvater hatte, – jedenfalls war der Vater ihrer Mutter, den diese nie gekannt hatte, ein deutschstämmiger Schwede gewesen – liebte sie ihren Namen. Das war eine Geschichte, die Inga sehr spät erfahren hatte. Die sich auch ihre Mutter erst nach und nach hatte zusammenpuzzeln können. Das neu aufgetauchte Puzzlestück war ein Kriegsbild gewesen: 1940, ein Kinderheim für Kriegswaisen, die 17-jährige Tochter einer Kommunistin und eines Deutsch-Schweden, der sich im Feldzug vor Stalingrad selbst erschoss ... So etwa. Viele Puzzleteile zur Geschichte ihrer Großeltern fehlten.

„Was hat diese Geschichte mit meinem Interesse an dem Schweden in der Searoad zu tun?", fragte Inga sich selbst.

„Mein Name, dieser Großvater – weißt du James, das weckt so eine Sehnsucht, etwas zu verstehen, ein Stück fehlende Wurzel zu finden ... Eben dieses ewige Suchen danach, irgendwo hinzugehören ..."

James gab keine Antwort. Sein Interesse galt einzig und allein einem Rest Essen, den er auf dem Boden gefunden hatte.

Inga wandte sich Sophie zu: „Mir ist schon klar, dass der Schwede hier nichts mit meinem schwedischen Großvater zu tun hat, aber ich kann mich ja trotzdem für diesen Ole interessieren ..."

„Intuition meinst du?", schnurrte Sophie.

„Von mir aus, nenn es einen intuitiven Antrieb, Frau Besserwisserin. Was meinst du, soll ich ihn ‚zufällig' treffen oder einfach mal vorbeischauen oder ihn einladen oder beobachten, wann er einkaufen fährt ...?"

„Na, wenn er immer nachmittags gegen vier spazieren geht – gehst du da nicht auch immer spazieren?", feixte die Katze.

„So gesehen, gehe ich da ja wirklich immer spazieren ...", Inga nahm den Ball auf, „einladen kann ich ihn ja später noch."

In den darauffolgenden Tagen ging sie also immer statt zur Mittagszeit erst am späteren Nachmittag mit James zur Küste. Der zog entsprechend an der Leine und zeigte ihr damit deutlich, dass ihm diese Änderung seines Rhythmus' gar nicht behagte.

Ole war nicht zu übersehen. Gleich am zweiten Tag machte sie ihn auf dem Pfad oberhalb des Damms ausfindig, seine behäbige Gestalt im leuchtend blauen Anorak, eine Strickmütze auf dem Kopf. Er lief langsam abwärts.

Inga ging in die gleiche Richtung und da ihr nicht klar war, ob er sie bemerkt hatte, äußerte sie ein laut vernehmliches „Howareyou", so verwaschen irisch wie sie eben konnte. „How are you?", antwortete er, drehte sich dabei um und musterte sie.

„Fine. Thank you", Inga stellte sich vor und erzählte ihm, dass sie jetzt einige Zeit hier wohne, „Donmar Cottage, bei den Enten und Hühnern. Housekeeping – you know?" Er nickte. „Ole", sagte er und zeigte in Richtung Weg, wohl um anzudeuten, wo er wohnte.

Ähnlich verliefen die Begegnungen auch in den darauffolgenden Tagen, einige Kommentare über die gerade aktuelle Nuance der Blaugrüngraufärbung des

Meeres, den Wellengang, ein freundliches „see you ...", dann ging jeder weiter seines Wegs.

„Sprich ein bisschen mehr, er hat es wohl verlernt", Sophie ließ sich am Abend immer von der Tages-Begegnung berichten,

„meinst du? Ich weiß nicht so recht, was ich von ihm will. Anbaggern ja schließlich nicht und ..."

„Wenn du nicht redest, wirst du es auch weiterhin nicht rausfinden", Sophie wurde langsam ungehalten, „er geht dir ja nicht aus dem Weg, also habt ihr euch vielleicht mehr zu erzählen, als du glaubst."

Es dauerte noch ein paar Tage, bis Inga ein Gespräch eröffnete. Sie standen zwischen ein paar riesigen, entwurzelten Algen, die Halt an einem Felsbrocken suchten und deren grünbraune Stiele und Blätter sich im Wasser aufblähten, um dann wieder in sich zusammenzufallen.

„Wie lange lebst du eigentlich schon hier, Ole?"

„Oh ... ich kam 1999 her ... nicht mehr lange, dann sind es 20 Jahre."

„Und vor 20 Jahren, ich meine beruflich, was hast du gemacht? In Schweden und vor allem dann hier?"

„Das ist eine lange Geschichte, Inga." Er hielt einen Moment inne, und fragte dann: „Magst du mit reinkommen? Mir ist kalt."

Inga freute sich über dieses Angebot, sie fror schon seit geraumer Zeit, es war ein unwirtlicher Tag, Hagelschauer wechselten mit heftigen Böen, die Sonne hatte sich den ganzen Tag über versteckt, was die gefühlte unter die tatsächliche Temperatur fallen ließ.

„Der Hund, James ..."

„... kann natürlich mitkommen", Ole streichelte James, der schien einverstanden zu sein.

Oles Cottage lag keine 200 Meter entfernt, der Volvo stand im Hof, der Fahnenmast war unbeflaggt, ein Rasenmäher neben ein paar Plastikeimern ruhte sich aus, wie es schien.

„Kaffee oder Tee?"

„Na ja, wenn du so fragst, gern Kaffee." Inga lachte, erzählte ihm von dem Instantgebräu, das sie sich manchmal statt Tee zubereitete. „In der Stadt geh ich sonst Kaffee trinken, nach dem Einkauf, schon wegen des guten Geruchs",

„bei Moccabeans – ja, das stimmt, die mahlen frisch und können Kaffee kochen."

Ole konnte es auch, er warf James ein Stück Wurst hin, stellte eine große Kanne und Gebäck auf den Tisch, offensichtlich aus Schweden mitgebracht, „Kanelbullar, Zimtschnecken", erklärte er. Inga genoss den weichen Hefezimtteig am Gaumen und den Geruch nach adventlichem Kuschelabend, dachte an „die Kinder von Bullerbü" und spülte alles mit heißem starken Kaffee nach.

„Hm!"

„Ich schaffe die alle allein gar nicht", Ole zeigte auf eine rote Blechdose, „seit langem war ich mal wieder in Schweden, Köping, jedenfalls da in der Nähe ... Du bist Deutsche, oder?"

Inga nickte.

„Dem Namen nach könntest du auch Schwedin sein. Na ja, ich war Lehrer in Köping: Kunst, Literatur, Geschichte ... lange her ..."

Das Schweigen wollte nicht so schnell unterbrochen werden. Inga nickte wieder.

Ole redete von selbst weiter, „es gab eine Zeit, da ging alles schief in meinem Leben, die Gesundheit, die Liebe, der Job ... ich konnte nicht mehr unterrichten, konnte keine Noten mehr geben, Schüler beurteilen. Es war mir alles zuwider. Ich mir selbst auch. Na ja, da bin ich abgehauen: Achill Island, Heinrich Böll, sein irisches Tagebuch, das hatte mich inspiriert, ich bin hier im County Mayo rumgefahren, je karger die Landschaft, desto besser, Hauptsache keine Leute. Wollte meine Ruhe. Diese irische Zurückhaltung, der ungebrochene Stolz trotz dauernder Schläge, diese irische Schwermut ... Na ja das passte irgendwie. Dieses Cottage hier stand zum Verkauf, eines von vielen, die Leute hauen ab, gehen zwangsläufig in die Stadt oder gleich in die USA, nach Kanada oder sonst wohin. Das hat mich fast nix gekostet. Es gibt Momente im Leben, da springt man, ohne weiter nachzudenken ... Ich hab dann auf Kunst gemacht ..." Er öffnete einen Raum, der von der Küche abging: Wurzeln,

Steine, allerlei Strandgut, Farbe und Dinge, die Inga nicht sofort identifizieren konnte, befanden sich da, "mein Reich ... das hab ich mir eingerichtet, wollte mich ablenken von so vielem ...", Ole sah aus, als ob er erst begonnen hätte zu erzählen.

Inga unterbrach ihn: „Es wird dunkel, ich muss mich um die Enten kümmern, die müssen in den Stall zurück. Können wir das Gespräch irgendwann fortsetzen?"

Ole stand auf, räumte das Kaffeegeschirr an die Seite. „Ja. Schon, warum nicht ... Gehst du eigentlich zum Musikhören in den Pub am Wochenende?"

„Manchmal ja, es ist weit bis in die Stadt. Ich fahre nicht gern im Dunkeln zu dieser Jahreszeit."

„Ich war schon lang nicht mehr da. Wir könnten zusammen dorthin fahren. Am Freitag. Ich hol dich ab – um neun?"

James erzählte Sophie von Ole und dass er dort ein Stück Wurst bekommen hatte, und Sophie merkte nur mit Blick auf Inga an: „Na endlich!"

Der Weg in die nächstgelegene Stadt, nach Ballina, war lang genug, um Ole die Geschichte von dem Stein, der Begegnung mit Mary, dem Gespräch mit Brigid und ihren Nachforschungen rund um den Lookout Post 64 zu erzählen.

„Brigid kenn ich", murmelte Ole, „kluge Frau, indeed. Lebt auch allein hier irgendwo wie Sue, die Algensammlerin. Und du", er schaute zu Inga.

„Ich leb nicht wirklich allein, Ole. Ich wollte eine Zeit allein sein, das ist was anderes." Sie mochte nicht von sich erzählen.

„Na ja, für den Stein hätte ich mich auch interessiert. Würde gut in meine Sammlung von Raritäten passen, vermute ich. Na und die Leute hier, die sind ähnlich wie die Natur, die sie umgibt: bizarr, sturmerfahren, eigenbrötlerisch ... hilfsbereit auch. Sie sind ja aufeinander angewiesen."

Inga fiel ein, wie ihr der Nachbar die Tür des Schuppens repariert hatte, er wusste das mit ihrer kaputten Tür von Paddy, dem Postboten, der es bemerkt hatte, als er im Schuppen mal ein Päckchen zurückgelassen hatte.

„Ja genau, so was meine ich. Und mehr ..."

Ole schwieg wieder eine Weile.

„Wenn sich Leute aus dem Ausland hierher verirren", setzte er dann neu an, „sind das meiner Erfahrung nach irgendwie Wurzellose, hierher Getriebene, Strandgut-Leute, immer auf der Suche nach einer Art Heimat. Es gibt die, die so was wie akute Ortlosigkeit in sich rumtragen. Leute, die diese Schwermut hier anzieht.

Warum ist der damals 36-jährige Familienvater Böll in der 50er Jahren an den nordwestlichen Rand Europas gereist? Um weit weg vom Durcheinander des Hausbaus in Köln zunächst am 'Brot der frühen Jahre' zu arbeiten? Den Tipp, nach Achill Island zu fahren, hatte er in Dublin bekommen. In Deutschland war Achill, die größte Insel Irlands, zu dieser Zeit vermutlich kaum bekannt. Böll beförderte sie in die Weltliteratur, sie wurde so was wie ein deutscher Sehnsuchtsort. Ihm selbst wurde sie zur zweiten Heimat, sagt man ... Auch so einer wie die, die ich meine ..."

„Und du?", wagte Inga zu fragen.

„Zurück geht nicht mehr. Es gibt immer Entwicklungen, die einzig sinnvoll nach vorne weitergehen ...", war Oles Entgegnung.

Sie waren angekommen. Ole parkte den Wagen in einer Seitenstraße, die nach Regen, Benzin und Abfall roch. Sie liefen ein Stück schweigend nebeneinander her, einander weder vertraut noch fremd. Zwei Körper, die sich anzogen und wieder abstießen – ein klein wenig nur. Inga meinte zu spüren, dass auch Ole diese Bewegung genoss.

Der Pub war gut besucht, die Luft roch schweißigschwül und malzig; die Musiker richteten sich an ihrem Platz in der Ecke des Lokals ein. Samstags spielte hier immer die gleiche Gruppe: Banjo, Akkordeon, Gitarre, Geige. Inga hatte sie schon gesehen. Sie mochte die Violinistin, eine Frau um die 70 mit hochgerollten Nylonstrümpfen, einem schlichten Rock und Jerseypullover über dem vorgewölbten Bauch. Ihre abgegriffene Kunstledertasche stand stets griffbereit neben dem Stuhl.

Wenn sie spielte, schloss sie die Augen, die schon dünn gewordenen, kastanienrotgefärbten Haare fielen ihr ins Gesicht. Entrückt, bis sie die Augen schließlich wieder öffnete.

„Jedes Musikstück erzählt eine andere Geschichte", flüsterte Ole Inga zu. Die nickte.

Zu all den gesungenen Liedern, die die Musiker begleiteten, verzog die Violinistin keine Miene, ernst saß sie da, spielte wie mechanisch, packte zur von ihr vorgesehenen, immer gleichen Zeit die Geige in den Kasten und ging. Die Gruppe spielte dann ohne sie weiter.

„Sie hält sich an ihre eigene Ordnung. Zugabe oder her, Feiertag hin oder her. Sie spielt, weil sie am Samstag immer spielt und schon immer gespielt hat. Sie liebt die Musik. Ihr Vater hat ihr das Spielen beigebracht und der hat es wiederum von seinem Vater gelernt", so reimte Inga sich das zurecht.

Sie erzählte es Ole.

„Ja" meinte er, „bei denen zu Hause gab es eben noch viel mehr zu tun, als nur Musik zu machen. Das Leben hier war schon immer ziemlich hart. Auch Musikmachen ist nicht nur Freude, auch das ist manchmal hart. Sie kennt es nicht anders."

„Was ist letztendlich nicht hart?", dachte Inga und forderte: „Keine Belehrungen, Ole, bitte!"

„Deine Kunst ... was machst du damit?", fragte sie, nachdem sie jeder ein Pint bestellt und einen Platz gefunden hatten.

Ole zuckte die Achseln.

„Ich glaube, unter den in Schweden lebenden Vorfahren meiner Mutter waren jede Menge Künstler, Musiker und Schriftsteller, soweit ich weiß", fiel Inga in sein Schweigen ein.

„Du scheinst nicht viel zu wissen", Ole nahm den Faden auf,

„nee, ne völlig verschüttete Geschichte – verschüttete Wurzeln."

„Da haben wir's wieder!" Ole wollte mit ihr anstoßen.

Inga wollte aber nicht anstoßen. Sie wollte sich nicht so einfach in Oles Bild entwurzelter Europäer, die in Irland gestrandet waren, einfügen. Ihre Mutter war die Wurzellose. Nicht sie selbst. Oder doch?

Sie sehnte sich nach Karl. Karl, der ihr beständiges „wo gehöre ich eigentlich hin?" aushielt, der keine vorschnellen Antworten gab, aber ihre vorübergehende Haltlosigkeit stets einzudämmen vermochte.

„Ole, und du? Was ist denn mit deinen Wurzeln?"

„Du hast mir zwar bislang wenig von dir erzählt – aber bitteschön: Mein Vater war Jude, hatte den entsprechenden Eintrag, dieses ‚J', das sich die Schweizer und Schweden in ihrer ach so neutralen Haltung ausgedacht hatten", Ole verzog das Gesicht, „er hätte auch Pech haben können bei dieser Quasineutralitätspolitik der Schweden. Meine Mutter und er haben 1950 geheiratet, da war das Ganze vorbei, fünf Jahre nach Kriegsende. Mein Vater ist nicht fertig geworden mit all dem, was passiert war. Ein Teil seiner Familie, ursprünglich Kaufleute aus Portugal, die im 18. Jahrhundert nach Dänemark gekommen waren, haben das alles nicht ernst genommen, weder die Religion, noch die Pogrome ... die sind im Lager gelandet, Theresienstadt. Mein Vater hat das alles nicht verkraftet, er hat ...“

Ole machte eine unmissverständliche Handbewegung quer über seinen Kehlkopf. „Ich war erst vier. Dieser fehlende Vater, den hab ich in den Kinderschuhen sitzen, ich kann mich nur ganz vage, schattenhaft an ihn erinnern; diese ewige Sehnsucht und die Vergeblichkeit, immer wieder die eigene Mutter aus ihrem Unglück retten zu wollen.“

Ole bestellte ein zweites Guinness, „Keine Sorge, ich schaff das schon mit dem Fahren“, entgegnete er auf Ingas Blick hin.

Die war still geworden.

Ein großer Mann stand auf und begann, ein trauriges Lied zu singen. Hager war er. Mit einem großen Kopf und tiefliegenden Augen und einer noch tieferen Stimme. Er trug ein abgewetztes Jackett und einen lose sitzenden Schlips. Er sang etwas Tragisches. Die Leute wurden still, lauschten, applaudierten. Er neigte den Kopf und sang noch ein Lied.

Dann spielte die Band alleine weiter.

Der große Mann setzte sich an den Tresen, wandte sich von da aus Inga zu, die nur wenig entfernt saß. Er roch nach Schweiß und ungewaschener Kleidung. Er hätte sie schon einmal gesehen, bemerkte er, „Ja. Im Weihnachtskonzert im Artcenter ...“, antwortete sie und erinnerte sich: Versehentlich war sie mit ihrem Schuh an sein Knie gestoßen: „pardon!"

Es war ein Quartett gewesen: Geige, Klavier, Horn und Saxophon, mit eigens für sie umgeschriebenen Kompositionen. Die Moderatorin hatte die Veranstaltung etwas übertrieben enthusiastisch animiert und auf einer Leinwand im Hintergrund hatte man schneebedeckte Wälder gesehen, „not very irish", hatte Inga das Foto kommentiert. „Oh, it can be", hatte er geantwortet, sehr ernst und weil die Musik wieder spielte, war er nicht dazu gekommen, ihr zu erklären, wann es denn in Irland auch mal schneite.

Beim Rausgehen hatte er gefragt, wie ihr die Veranstaltung gefallen habe. Inga hatte gedacht, mit „very nice" mache man nichts falsch und war von ihm schnell eines Besseren belehrt worden: Er hatte mit sonorer Stimme erklärt, die Moderatorin würde die Kinder indoktrinieren mit ihrer Art, um jeden Preis Begeisterung erheischen zu wollen. Ihre Bemerkung zum wiederaufflammenden Rassismus gehöre außerdem bestimmt nicht in so eine Veranstaltung, „political" sei das gewesen und habe in einer musikalischen Darbietung nichts verloren. Er hatte sich immer lauter ereifert, in etwas hineingesteigert, dessen Ausgang nicht absehbar war. Inga hatte mit „see you, goodbye ...", fluchtartig das Artcenter verlassen.

Jetzt, hier im Pub, hatte Inga wieder nicht mehr als ein „yes, nice. Your song: very nice!" für den Mann übrig und war ansonsten froh, von Ole und seinem Vater, den

Entwurzelten im Allgemeinen und ihrem diffusen Interesse an dem Schweden abgelenkt zu sein.

Inga schwieg auf der Fahrt zurück in das Dorf am Atlantik und Ole stimmte in das Schweigen ein. „See you", verabschiedete er sich, als er sie an ihrem Cottage raussetzte. „See you, Ole!"

Inga winkte ihm nach.

Zu Hause saß sie noch lang am Küchentisch. „Blaue Stunde, Zeit, um noch ne kleine Runde zu schlafen", brummelte sie in Richtung Sophie, die neugierig herangeschlichen war.

Per aspera ad astra

Inga betrat das Cottage immer über die Rückseite des Hauses, der Vordereingang war verschlossen. Denn es gab keinen Windfang, die eigentliche Haustür hielt der wechselhaften Witterung nicht stand, Sturm und Regen, Hagel und Schnee hätten ungehindert Einlass gehabt. Darum ging man über den Hintereingang ins Innere des Cottages, wo ein Zwischenraum Schmutz und Wind abfing. Dort standen auch die warm brummende Heizung, auf der man im Halbstundentakt mit einem winzigen Zahnrädchen den Betrieb regulieren konnte, die Waschmaschine, die schwarzen, großen Gummistiefel, Regenkleidung, Putzeimer, Hundefutter und Tüten für Asche und Abfall.

Inga mochte es, an der Hintertür zu stehen, einen Moment innezuhalten die Waschpulverfuttermischung zu inhalieren, bevor sie draußen in der klaren Morgenluft weiter ein- und ausatmete, den Hühnerstall ausmistete, Enten fütterte, mit dem Hund zum Meer ging.

Sie mochte es, vor der Hintertür zu stehen, eine Zigarette zu rauchen, und in den Himmel hinter dem Gartenwall zu schauen. Der Blick in den hinteren Teil des Grundstückes wurde ausgebremst von einem Graswall, der unmittelbar an den sich immer wieder neu formierenden Himmel zu stoßen schien.

In die Wiese war ein Öltank eingelassen, ein geflickter Schlauch schlängelt sich von einem freistehenden Wasserkran bis zum vorderen Teil des Hauses, ein paar schilfartige, im Winter welkbraune Gewächse ragten aus dem Gras empor. Auf dem Schotter des Hofs stand ein Autoanhänger, auf dem sich ein kaputter Campingtisch, ein paar Eimer, eine Plane ausruhten. Direkt an der Hauswand neben der Betonstufe zur Hintertür standen die Mülltonnen, eine blau, für Restmüll und eine grün für recyclebares Plastik.

Auf dem Graswall in der Ecke verwandelten sich Kohlreste, Eierschalen, Brokkolistümpfe und Apfelgehäuse in Kompost. Daneben lagen rostige Behälter, ein ausrangierter Besteckkasten und ein paar Mauersteine herum und warteten auf ihre Bestimmung.

Matsch und Schotter, Pfützen meist – das war der Boden.

Die Rückseite des Hauses war also der eigentliche Eingang. Der Übergang durch den Waschmaschinenheizungsraum erlaubte das Umkleiden, er war perfekt geschützte Trennung von Innen und Außen, die Verwandlung von wetterbeständigem Trotz in weiche Wohligkeit.

„Per aspera ad astra", dachte Inga, und nahm diesen Gedanken gleich zum Anlass Sophie, die um sie herumstrich zu belehren: „Seneca ... Lateinunterricht ...",

„Ich weiß: Über raue Pfade oder eben durch Mühsal gelangt man zu den Sternen, ich heiße nicht umsonst Sophia ..."

„Ich seh nur grad die Sterne nicht", Inga zuckte die Achseln.

„Flieg Inga, flieg … Ach ja: Dieser Spruch wurde übrigens, etwas abgewandelt, nicht von ungefähr von allerlei Air Forces benutzt: per ardua ad astra …"

„Meine liebe Katze, das sind ja wohl zweierlei Fliegen … Jetzt sind wir schon wieder beim Militär. Was willst du mir eigentlich sagen?"

„Nichts, ich spiele nur mit deinen Worten und meinem Wissen", Sophie grinste.

„Du meinst, ich soll Kälte und Schrott verwandeln in einen Düsenjet, der mich zu den Sternen trägt …?"

„Zum Beispiel. Oder mit militärischer Strenge von den Sternen träumen …"

Inga setzte sich an den Kamin. Sterne? Viel zu weit weg. Sie sehnte sich nach Wärme und Nähe. Sie hatte keine Schutzschicht, keinen Zwischenraum, um all das Unbrauchbare, den Unrat, das Abgestellte außen vor zu lassen. Es ragte in ihr Inneres und verhinderte dessen Wohlsein.

„Meine volle Rumpelkammer macht, dass sich alles so fern anfühlt. Stahlblau, undurchdringlich, klar abgrenzt, kühl. Sich berührende Kanten, jede spitz. Irgendwie nebeneinander geworfen, tut die eine der anderen nicht weh, es sei denn, die Dinge verrutschten."

Inga erinnerte sich an müde Abende zu Hause. Sie hatte so oft etwas erwartet, das nicht eintrat. Sommerabende voll unbemerkten Gerümpels. Sie spielte Sophie vor, wie das damals ausgesehen hatte:

„Wir saßen am gleichen Tisch. Wir aßen. Wir tranken Wein.

Er schwieg. Er aß schnell, schaute auf seinen Teller.

‚Sie können kein Risotto kochen in diesem Lokal‘, bemerkte er. Und gähnte.

Er bestellte ein zweites Glas Wein.

Ich aß. Ich trank Wein.

Ich schaute ihn an.

Ich fühlte Leere.

Ich langweilte mich.

Die Worte, die ich sagen wollte, hatten sich nach innen verzogen, ganz tief rein, wie eingeschrumpelt. Sie erreichten mich nicht mehr.

Ich war traurig.

Ich bestellte ein zweites Glas Wein, manchmal noch ein drittes.

Wir saßen am gleichen Tisch. Wir aßen. Wir tranken.

Weiter nichts.“

Inga saß mit angewinkelten Beinen auf dem Sessel, die Arme um die Knie geschlungen.

Sophie neigte ihren Kopf auf die Seite,

„mit wem auch immer du da gesessen haben magst ... Du musst deine Worte wiederfinden, das ist alles.“

„Wenn das mal so einfach wäre, Sophie. Manchmal ersticke ich an Sprachlosigkeit, wenn ich nichts dringender bräuchte als Worte."

„Und manchmal bekommst du nährende Worte, dann, wenn du es gar nicht vermutest", ergänzte die Katze.

„Ja, das fühlt sich dann gelborange an, flackernd, wie Feuer, wärmend: die Farbe der Nähe auch in der Ferne. Ohne die elektronischen Freundschaftssignale, Liebesbeweise, Worte und Umarmungen – gerade auch von Karl – wäre ich womöglich schon erfroren ..."

„Du übertreibst", kam Sophies Kommentar aus der Ecke. Sie nahm deutlich jede Regung, jede Stimmung wahr.

„Schau mal, Sophie", Inga hielt der Katze ihr Handy hin, sie sah einen schneebedeckten Baum auf dem Bildschirm: „Viele Grüße aus Tschechien" – ein Freund, auf dem Weg von Prag nach Wien.

„Bist du da allein dort an der irischen Küste?", fragte er.

„Ja."

„Dann möge es der richtige Ort sein!"

Diese Worte fühlten sich warm an. „Zwischen Jahresende und Jahresbeginnen – das ist immer eine besondere Zeit ...!" Inga erzählte Sophie noch von dem Glühweingruß, den Benjamin aus dem Skiurlaub geschrieben hatte und zeigte ihr die Videoaufnahme einer Freundin, die mit ihren Kindern etwas sang. Aber vor allem die Worte, die zu ihr gelangten, vor allem die sog sie auf.

„Ich bin gar nicht allein, sondern eingewoben in ein warmes, gelbes Netz, mit orangenen Schwingen, die die Worte und Bilder und Erinnerungen zum Klingen bringen: warme, bunte, lebhafte, melancholische und ernste Klänge vermischen sich zu einer Musik, die sie weitet, stärkt und beflügelt", erklärte sie Sophie.

„Per aspera ad astra", antwortet die lakonisch, „da sind sie doch, deine Sterne!"

Mist

Inga wusste nicht, ob sie die Unterhaltung mit Ole fortsetzen wollte. Sie nahm wieder ihre gewohnten Spaziergänge mit James um die Mittagszeit herum auf und vermied es, ihm zu begegnen.

„Du brütest irgendwas aus!" Sophie entging nichts. Inga ließ das unkommentiert so stehen, sollte sich die Katze doch denken, was sie wollte.

So gingen erst einmal ein paar Tage dahin.

„A lot of mist today", der Mann am Strand mit dem Eimer voller Muscheln sprach sie an. Sie hatte ihn schon öfter beobachtet, wie er auf dem Fahrrad, meist mit einem riesigen Regenumhang und Gummistiefeln bekleidet, zur Küste fuhr, sein Hund, eine Colliedame, lief meist vorweg, um auf den glitschigen Felsbrocken nach Muscheln zu suchen.

„Mist" nannten sie hier an der Küste den feinen dunstigen Nebel, der manche Tage überzog.

Inga musste lachen, „Mist ist auch ein deutsches Wort und heißt so viel wie ‚shit'",

„Oh", der Mann verzog das Gesicht.

Sie sprachen über Muscheln, er kenne einen Franzosen, der sie für sein Restaurant abkaufe. Er selbst esse sie auch sehr gern. Sie seien gesund.

Ein bisschen langweilig sei es hier doch, stellt er fragend in den Raum, um dann zu bemerken, „aber wunderschön!" Er redete wie einer, der von seiner Wirkung überzeugt ist. Sie stimmte ihm zu.

„Mist" ...

"Nebel im Kopf ist Mist!", antwortete Inga.

Sie lief einen großen Bogen die Küste entlang und ließ ihren Gedanken freien Lauf: Diese Nebelgefühle hinsichtlich des „Wer bin ich und was will ich, die sind Mist! Mist, Mist, Mist! Dieser Grauschleier, der sich vor jede Leidenschaft, vor das Lieben und Überzeugtsein hängt, ist Mist". Sie schrie das Wort in die Brandung „MIST!!" „Verdammter Mist!!!!" Das gewaltige, gleichmäßige Wellentosen blieb unbeeindruckt von ihrer Schreierei.

Sie war neugierig, wen sie da getroffen hatte, „wer ist das, dieser Muschelsammler am Strand?" Es war leicht, ihre Neugier zu befriedigen. Jolie, die Nachbarin erzählte wie immer gern, „oh, Owen, der mit den dichten, lockigen Haaren? Nimm dich in Acht vor ihm. Mal ist er nett und freundlich und dann wieder beschimpft er alle und wird sehr unangenehm. Vor allem, wenn er trinkt. Er lebt mal hier, mal da; war mal verheiratet, das ging nicht gut, jetzt lebt er wieder bei seiner Mutter hier im Ort. Da drüber, auf der anderen Seite", sie zeigte irgendwohin, „na ja, der jüngste von ihren Söhnen ... Sie verhätschelt ihn ganz schön. Der fällt irgendwie durch die Welt. Ja, die Muscheln verkauft er wohl."

Noch ein Gestrandeter, dachte Inga und beschloss, Ole doch noch einmal zu besuchen.

„Hallo Inga. Schön, dass du kommst! Tee oder Kaffee?"

„Egal. Ich weiß nicht."

„Dann lass dir Zeit, es rauszufinden. Wasser, Guinness, Whiskey, und ich glaub ne Flasche Orangejuice ist auch noch im Angebot."

„Kaffee, Ole. Ich möchte Kaffee. Gern!"

„Wir haben uns seit dem Abend im Pub nicht wiedergesehen, ich wusste nicht ..."

Inga unterbrach ihn: „Ich wusste nicht, ob ich weiterreden wollte. Es kam so viel angeschwappt – eine große Welle, verstehst du?

„Wie soll man das hier nicht verstehen?"

Inga sprach weiter: „Dieses Gerede über die Gestrandeten hier, die Wurzelsucher, das Einlassen auf die Spuren, die es so gibt ... Ich hab wieder einen getroffen: den Muschelsucher, kennst du ihn?"

„Owen, wer kennt den nicht?", Ole lachte, stellte Kaffeebecher auf den Tisch. Aus dem Fenster sah man auf das Meer. „Ja, der passt in die Sammlung ..."

„Mist ist in meinem Kopf. Deutscher Mist und irischer Nebel oder umgekehrt."

Ole lachte, schien aber nicht weiter verwundert. „Genügend Einsamkeit und genügend Natur und schon hast du ihn, den ‚Mist‘ – kein Kunststück und auch nicht allein deine Erfahrung, meine liebe Inga.“ Er öffnete die Büchse mit den Zimtschnecken, „die schmecken immer noch. Iss mal erst was!“

„Die Leute halten mich für mutig oder verwegen oder wild, wenn sie hören, dass ich hier lebe. In Wahrheit bin ich einsam, voller Zweifel und erschöpft. Ich spüre das immer deutlicher. Wenig ist zurzeit sooo viel für mich.“

„Wie meinst du das, Inga?“

„Es sind Wenig-Tage“, sprudelte es aus ihr heraus: wenig Termine, wenig Fixdaten, wenig Muss, wenig ‚todo‘, wenig Menschen, wenig Ablenkung, wenig Information, wenig Auswahl ... Das Wenige reicht mir schon, manchmal ist mir das selbst zu viel. Wie bei einer alten Oma.“

„Wie sieht das denn konkret aus, Inga?“ Ole lehnte sich zurück, „ich möchte es deutlicher, werd‘ doch bitte etwas genauer!“

„Na ja“, Inga setzte an, „mittwochs wird die Mülltonne geleert, abwechselnd die blaue oder die grüne; der Futtergroßhandel hat dienstags und samstags nur vormittags geöffnet, donnerstags findet der Eierverkauf statt; freitags und samstags gibt es Live-Musik im Pub und dienstags ist Yoga im Nachbardorf; die Wandergruppe hat einen Terminplan für ein halbes Jahr, der hängt an meinem Kühlschrank.

Ich muss daran denken, einzukaufen, wenn ich in der Stadt bin und die Mahlzeiten für die Tiere einhalten ...

Weißt du Ole, ich möchte täglich lesen, schreiben, Nachrichten sehen, Briefe schreiben und spazieren gehen, regelmäßig Ausflüge unternehmen, um Land und Leute zu erkunden, um Hintergründe zu erforschen. Und dann will ich schließlich für mich selbst Perspektiven entwickeln, um klarer zu sehen ..."

„Inga, ehrlich gesagt, fehlt mir da wieder die Deutlichkeit", Ole schenkte Kaffee nach.

Sie spürte, dass es ihr guttat, wie er zuhörte.

Sie wolle rausfinden, ob ihr Job noch das Richtige für sie sei und was sie verändern könne, wenn nicht. Sie wolle rausfinden, wie sie ihr „zu Hause" mehr so gestalten könne, dass es sich gut anfühle, was sie noch dazu brauche undsoweiter. Das alles käme ihr ziemlich viel vor und ihr sei unklar, was dafür genau zu tun sei.

Ole schaute sie an.

Sein Blick ließ sie lachen: „Ich weiß, es ist eigentlich gar nichts zu tun! Die Kunst ist, das Viel zu formen: Viel Zeit ist doch eine Möglichkeit, oder?"

„Ja, manchmal schon", Ole bat sie auch jetzt, deutlicher zu fassen, was sie meine:

„Dem eigenen Rhythmus folgen und intuitiv das tun oder dableiben oder das formulieren, was gerade da ist", Inga wurde langsam ungehalten. „Mensch Ole, wir sind doch nicht in der Schule. Aber es gibt hier gerade nichts Wichtigeres zu tun, das ist die Chance einer Wenig-Zeit, oder!?"

„Ich weiß, dass ich nerve Inga, aber vermutlich ist es wichtig, dass du klar hast, was du meinst. Also: Wie kann das aussehen für dich?"

Inga fing an, ihre Ideen abzuspulen: „Einen Gedanken, eine Frage vertiefen können, der Antwort eine weitere Frage folgen lassen und nach einer Antwort suchen; hier in der Gegend klingt das zum Beispiel so: Wie wird Lachs gefischt? Wer war zum Beispiel Michael Davitt? Oder Admiral William Brown? Und weshalb werden sie verehrt? Wie ‚ticken' Hühner? Und wo entspringt der Fluss, der ganz in der Nähe ins Meer fließt? Was ist heldenhaft?

Dem Wechsel des Wetters oder der Gezeiten bei der Auswahl von Spaziergängen folgen,

Gefühle beobachten können, Gedankengänge, die aus dem Innen aufsteigen, aufschreiben. Bilder malen mit Worten oder Farben, den Klang der Dinge suchen und die eigene Resonanz."

„Hmm, ganz schön viel ... und die hiesigen Helden hast du auch schon ausgegraben", Oles Blick verriet nicht, was er dachte,

„das Wenig und das Viel sind relativ. Wenig Menschen um sich zu haben, kann zum Beispiel viel Energie kosten ..." Inga dachte an Begegnungen, die so ganz anders verlaufen waren, als sie sich das gewünscht hatte,

„sich auf Menschen einzulassen, das bedeutet, ihr Verhalten, ihre Gewohnheiten, Vorlieben, Fragen, Stimmungen zu erleben, miteinander im Austausch zu sein – wie in einem Tanz. Der passende Rhythmus muss immer wieder neu gefunden werden. Menschen sind konkurrierende Mimosen, die einander brauchen, sich aneinander bedienen, um dann wieder abzugleichen, abzugrenzen, zu überbieten: ‚Wie machst du das?', Was denkst du dazu?', ‚Wollen wir dies?' ‚Warum nicht das?' ‚Ich denke, du kannst anders!' ‚Ich brauche dich. Ich brauche dich nicht'. Ein ständiger Wechsel, der Tanz im Wenig hat in mir Platz, schön und hässlich. Der Aufeinanderprall je eigener Seelengespenster hat mehr Raum in dieser Einsamkeit. Wenn sie aufeinanderstoßen, kann es spuken ...

Spazieren gehen, gut essen, schlafen ..., das kann die positiven Kräfte mobilisieren, oder?!"

Inga konnte nicht mehr unterscheiden, ob sie zu sich selbst oder mit Ole sprach,

„dieses Wenig an Abwechslung, oder Ablenkung verursacht eben viel Innenbewegung. Wenig schaffen kann ‚schaffen', also erschöpfen!"

„Und es kann Schaffen, Schöpferisches freisetzen ...", ergänzte Ole.

„Beides. Deshalb ist wenig viel."

„Ja", genervt und zugleich erleichtert, verstanden zu werden, beendete Inga erstmal ihre Ausführungen,

„deutlicher kann ich das nicht sagen."

„Vielleicht", Ole ignorierte Ingas Genervtsein, „zeigt sich die Deutlichkeit in der Klarheit, dieses zu tun und jenes zu lassen, ‚ja' und ‚nein' zu sagen, 'jetzt nicht' oder 'dann schon', 'an diesem Tag ja, da nein' und Namen zu finden, Worte für das, was ist. Deutlich ist: 'Schreibzeit am Morgen' oder 'schwarzer Kaffeebecher' oder 'Wollmütze' oder 'Kopfschmerz' oder 'nicht telefonieren' oder 'Rot' oder 'Sehnsucht' oder 'Müdigkeit' oder 'viel' oder 'wenig' oder 'zu viel' oder 'weniger bitte' oder 'ganz anders' oder 'ich werde es rausfinden' …"

„Ole, ich würd dich gern Klugscheißer nennen", Inga grinste, „aber das wäre Mist … Und ich muss jetzt nach Hause – Tiere füttern",

„komm wieder!" Ole verabschiedete sie, „Ich freue mich."

Zurück im Cottage wetterte Inga noch eine Weile über Oles Lehrmeisterei. Sophie hörte geduldig zu, dann fragte sie: „Was willst du denn eigentlich von ihm?"

„Hm …", Inga überlegte, „er soll von sich erzählen, seine Erfahrungen sagen mir mehr als seine ‚schlauen' Kommentare",

„vielleicht musst du ihm das deutlicher sagen? Und außerdem", Sophie zwinkerte mit den Augen,

„hast du ja wahrscheinlich auch mehr verallgemeinert, als von dir gesprochen. Wenn du konkretere Geschichten erzählst, tut er das vielleicht auch."

„Welche Geschichten? Sophie ich weiß ja selbst nicht genau, um was es mir geht."

„Dann find es raus, indem du darüber sprichst!"

Sophie mochte Ingas merkwürdige Stimmung nicht länger ertragen. Sie sprang aus dem Fenster und machte sich im Garten auf die Suche nach etwas Essbarem.

Inga lief noch am gleichen Nachmittag wieder zu Oles Haus, klopfte, und als Ole öffnete, war es, als seien sie verabredet, jedenfalls kochte er wie selbstverständlich Kaffee. Sie setzten sich und schauten durchs Fenster auf das Meer, das sich an diesem Tag sehr harmlos hin und her bewegte, ein grün-graues, kaum hörbares Schwappen nur. Ab und zu kreischte eine Möwe.

„Ole, das mit den Worten und der Deutlichkeit, der Klarheit zu sagen, was man meint ... das beschränkt sich doch nicht auf ‚ja' und ‚nein' und ‚Mütze' und ‚Kaffeetasse'!?"

„Nein, aber du hast von Nebel im Kopf gesprochen, und dass es Viel im Wenig gibt ... ich hab nach Verdeutlichungen gesucht, hab versucht, ne Taschenlampe zu finden."

„Hm ..." Inga probierte einen Neu-Start: „Ole, kennst du das auch, dieses ‚Mist'-Gefühl und diesen Sprühregenvorhang, vor allem im Kopf?"

„Du willst, dass ich dir von mir erzähle?"

„Na ja, vielleicht bringt das eher weiter ...", Inga schaute ihn an. „Ich hab so ein diffuses Gefühl, dass du was zu erzählen hast, das vielleicht wirkt wie eine Taschenlampe."

Sie dachte für einen Moment an ihr Akkuaufladegerät mit integrierter Taschenlampe, das sie schon ein paar

Mal davor bewahrt hatte hinzufallen, daneben zu treten oder im Matsch zu landen.

„Ich hab dir doch schon eine ganze Menge von mir erzählt, Inga", jetzt zögerte Ole.

„Na gut, dann frage ich", Inga holte Luft, „also, du bist ohne Vater und mit einer verzweifelten Mutter aufgewachsen; du bist Lehrer gewesen und hattest eine Lebenskrise und bist seitdem hier ... Ich würd eben gerne wissen, wo die Zusammenhänge sind, der rote Faden: deine Kindheit, die Lebenskrise, und welche Rolle spielt das Leben hier allein am Meer? Und gibt es da auch Nebel im Kopf oder hast du alles klar?"

„Jetzt bist du aber mutig", Ole wirkte ernst, "ich bin es nicht gewohnt, wirklich darüber zu sprechen. Meine Mutter war nicht nur verzweifelt. Zuerst vielleicht, als sie realisierte, dass er sie auf grausame Weise verlassen hatte; es hat gedauert, bis sie das hinnahm. Sie war es gewohnt, ihn ein bisschen 'verrückt' zu erleben, manchmal war er einfach ein paar Tage verschwunden, dann kam er eben nicht und dann doch irgendwann wieder. Den endgültigen Unterschied wollte sie nicht wahrhaben. Dann hat sie versucht, dagegen anzukämpfen, wollte Schuldige für seinen Selbstmord finden. Sie reiste überall rum, sprach mit Leuten. Ich erinnere mich nur schwach. Sie hat mich oft bei der Nachbarin abgegeben, oder eben im Kindergarten. Später, als ich in der Schule war, erinnere ich mich noch daran, wie sie starr dalag, angekleidet im Bett, das Leben vorüberziehen ließ. Ab und zu fiel ihr ein, dass es ja mich gab, dann kaufte sie was ein, kochte, bemühte sich um Alltag. Ich versuchte ständig, sie aufzuheitern, ein guter Schüler zu sein, Witze zu machen. Es half nichts. Irgendwann kam sie in eine Klinik." Er hielt inne, „da ist Nebel, ‚Mist', ja, Mist war das! Ich erinnere mich an nichts Genaues. Irgendwer ist zu uns nach Hause gekommen und hat sich um mich gekümmert. In der Schule hab ich versucht, mir nichts anmerken zu lassen. Die Schule wurde meine Rettung. Ich bin immer besser geworden ... später dann sogar Lehrer ...

Na ja, Inga, ehrlich gesagt, zu Hause hab ich merkwürdige Dinge gemacht: Tiere gequält – ich erspar dir die Einzelheiten, Sachen kaputt gemacht, dann merkte ich, dass es mir guttat, wenn ich mich selbst ein bisschen kaputt machte: mit rostigen Nägeln in mir rum zu ritzen, so fing das an. Später als ich älter wurde, habe ich Zigaretten geklaut und auf Klos geraucht bis mir schlecht wurde, und als ich mich daran gewöhnt hatte, kam Stärkeres dran ... Also, wie gesagt, ich war trotzdem gut in der Schule, und es gab eine Lehrerin, Anna Börgson, die hat mich ziemlich klar wahrgenommen. Das tat gut. Ich bin nie richtig abgestürzt, war aber immer auf der Kippe – ‚heimlich' auf der Kippe ... Ach, weißt du, ich hatte viel Glück: ein paar gute Freunde, diese Nachbarin, Lina Sveson, die hat sich oft um mich gekümmert.

Na ja, trotzdem, meine Mutter hat sich nur so halbwegs erholt. Immer zerbrechlich – wie gutes Porzellan. Kein bisschen belastungsfähig. Nie mehr ein Mann in ihrem Leben.

Heute lebt sie in einem Heim. Sitzt sehr zusammengefallen da, starrt vor sich hin und spricht kaum."

Ole nahm den Kaffeebecher in die Hand, „genügt das jetzt?"

„Wenn du nicht weitererzählen magst, versteh ich das", Inga hatte Tränen in den Augen, „aber mich interessiert natürlich jetzt erst recht, wie es weiterging."

„Ich raff mal, Inga. So leicht ist das ja nicht mit dem Erzählen. Ich hab meine Wut dann politisch werden lassen: ‚Macht kaputt, was euch kaputt macht!' Kampfansage an das Establishment. Für mich waren nahezu alle älteren Menschen Nazis, ob nun deutsch oder schwedisch. Ich setzte mich nicht wirklich mit meinem Vater auseinander, aber ich bekämpfte alle ... Damals ging das, gleichzeitig Lehrer werden, meine ich. Alle kämpften ... Ich lernte dann Solveig kennen. Die war ne ganz andere Nummer als alle anderen Mädchen, entschuldige ‚Frauen', davor. Ich war sehr, sehr verliebt. Ich wollte sie für mich. Das war noch stärker als der Kampf.

Irgendwann heirateten wir. Ich unterrichtete, sie bekam und betreute erst das Baby dann, als Hilka im Kindergarten war, arbeitete sie auch, Krankenschwester ... Ich hab erst spät gemerkt, dass sie lange eine Affäre? eine Beziehung!? zu einem Chirurgen gehabt hat. In der Zeit war ich völlig in meine Arbeit abgetaucht. Meine Schüler wurden zu meiner Obsession, ich unterrichtete leidenschaftlich, kämpferisch, während sie sich regelmäßig mit diesem ‚Schlachter' traf ...

Unsere Tochter hat die beiden gesehen und geplappert. Die hat dann zu ihrer Mutter gehalten, die mich

sehr beschimpft hat von wegen nie Zeit, um nichts gekümmert, nie da, sie vernachlässigt und so weiter. Irgendwann hab ich ihr eine geknallt. Das hat unsere Tochter gesehen und damit wars das dann. Für viele Jahre."

Jetzt weinte Ole.

Inga wusste nicht recht, was sie machen sollte. Sie
setzte neuen Kaffee auf.

„Jetzt hast du meine verdammte Geschichte, Inga. Mit
dem Unterrichten, das hat dann nicht mehr geklappt. Sie
haben mir Tabletten gegeben. Dreckszeug! Ich hab der
Schule einfach den Rücken gekehrt. Jahrelang habe ich
versucht, den Schülern klar zu machen, worauf es ankommt im Leben, aber das System will doch was völlig
anderes ..."

„Auf was kommt es denn an, Ole?" Inga traute sich,
zu fragen,

„Leben und es spüren. Lieben trotz Verletzungsge-
fahr. Arbeiten mit Leidenschaft. Dasein, wo man ist; der
sein, der man ist ... ach, was weiß ich ... Du fragst Sachen,
die ich mich immer noch selbst frage."

„Ole, trotzdem würde ich, bevor ich nach Hause muss
– du weißt schon, dieser Entenstall, die Hühner ... – so
gern noch wissen, wie du jetzt hierhergekommen bist
und was jetzt ist ..."

„Langsam, Inga ... Ich hab es dir doch erzählt, ich bin
ziellos rumgefahren, Irland tat meiner Seele gut. Ich bin
hier hängengeblieben. Ne Liebesgeschichte gabs auch,

Gott sei Dank, hat mich Kate abgelenkt von Solveig. Gut ging das nicht. Aber relativ schmerzlos.

Jetzt unterrichte ich ein paar Schweden per Fernstudium und verdien damit ein bisschen was, ich leb hier am Meer und irgendwie heile ich von innen zusammen.

Diese Weihnachten habe ich meine Tochter besucht. Wir haben miteinander gesprochen ...“

Inga verstand, dass jetzt weiter zu fragen unmöglich war.

„Danke, Ole. Danke!“

„Du wolltest es ja wissen. Ich glaube, du wolltest es wirklich wissen. Ja, natürlich sind manche Tage voller ‚Mist‘ ... Ciao Inga, pass auf dich auf und auf diesen Owen, den Muschelsammler ...“

„Ciao, Ole! Du auch, aufpassen meine ich!“

Inga sperrte die Enten in den Stall, feuerte den Kamin an und ließ sich in den Sessel vor dem Feuer fallen,

„weg mit dir, James! Heute habe ich diesen Platz.“ Sie kraulte den Hund zwischen den Ohren, „wenn schon kein Mensch zum Anlehnen da ist, dann wenigstens dieser olle Sessel.“

Inga hatte Sehnsucht. Nach Karl ... Der sollte jetzt hier sitzen, ihre Füße halten oder noch besser ihren Kopf auf seinen Schoß nehmen.

„Sehnsucht ist fürchterlich. Mich zerreißt es fast.“

„Hättest ja nicht weggehen müssen", James wollte ihre Hände lecken, aber sie stieß ihn weg.

„Warum lehnst du mich ab, nur weil du dich an deinem Karl anlehnen willst", knurrte er und schlürfte seine Wasserschüssel leer.

Inga weinte. Ihr fiel ein, wer sich möglicherweise noch alles abgelehnt fühlte, weil sie in diesem diffusen Nebel aus Anlehnungsbedürfnis und In-Ruhe-gelassen-werden-Wollen verharrte. Jetzt im Moment wollte sie nichts anderes als Karls Anwesenheit, seine Haut, seine Stimme, alles ... „Karl ...", sie schluchzte.

„Entschuldigung James, du bist völlig okay", schniefte sie in Richtung Hund.

„Nein! Nein! Nein!" ... Wieder weinte sie. Aus wie vielen ungesagten Neins bestand dieser „Mist" denn noch, aus wie vielen „Jas" und Wörtern und Geschichten und Fragen und Äußerungen?

„Finde raus, was du wirklich willst", würde Karl vielleicht sagen, aber: „Was will ich?" Inga suchte nach Stift und Papier.

Was hatte ihr „Nebel" mit Oles Geschichte zu tun?

Der Felsgigant im Wasser, Downpatrick, fiel ihr ein: Dieses abgespaltenes Stück Land für einen abtrünnigen Fürsten, der sich nicht missionieren lassen wollte, angeblich. Abgespalten, nicht zugehörig, musste er auf diesem Quadratmeter Erde in gefährlicher Höhe mitten im Wasser sein Dasein fristen.

Abgespalten vom Rest, eine Strafe für Ungehörigsein. Das macht unsicher, haltlos, neblig, „mistig" ... Oles Versuche dazuzugehören, obwohl das alles ganz anders war als bei ihr, erinnerten sie an Eigenes: Der gefährliche Elfenbeinturm, in den sie sich verbannt hatte, war für andere unzugänglich. Sie hatte sich allein genügen wollen, um weiterer Ablehnung zu entgehen. Der Versuch war misslungen.

Inga übersprang den inneren Film „Kindheit", er langweilte sie. Den Nebel hatte sie mitgenommen aus einer eigenen Zeit der Abspaltung, so musste das gewesen sein – sie war froh, als Sophie zur Tür hereinspazierte, „irgendwohin gehören zu wollen ist immer fragwürdig, gefährlich oder so. Dann rette ich mich auf mein Türmchen und dann wundere ich mich über den Nebel", erklärte sie der Katze.

„Ich versteh nur Bahnhof, Inga. Welches Türmchen?"

„Wegspringen, abspalten, das scheint irgendwie in mir drin zu sitzen und macht so scheiß einsam."

„Dann lass es doch!"

„Schwer ist das, Sophie. Ich fühl mich dann viel zu schnell abgelehnt und falsch und nicht dazugehörig. Das ist die immer gleiche Platte."

„Leg eine andere auf!"

„Ich will mich anlehnen und es schön haben und leicht, Sophie. Ich will weniger tun und genug kriegen und einfach da sein."

„Ja und …?", schnurrte Sophie. „Normal, stinknormal klingt das!"

„Das fühlt sich … keine Ahnung. Ich kann das nur dir sagen", schniefte Inga.

„Immerhin! Was hat dieses Gespräch bei Ole mit dir gemacht?"

„Es hat mich erinnert: an mich als Kind und wie beschissen einsam das war und an die Weltverbesserungskämpferei und das Weggehen immerzu und irgendwas leisten immerzu, um irgendwas zu spüren – außer Ablehnung."

„Magst du dich?", Sophie leckte sich genüsslich ihre Pfoten.

„Ach Scheiße Sophie, das sind so Therapeuten- oder Pfarrerfragen. Mag ich mich? Mag ich mich? Sperrig bin ich, kantig und spröde … das weiß ich längst und kann mich halbwegs so aushalten. Aber nun will ich, dass mich dieser Karl aushält und ich laufe weg, will rausfinden, was ich will … vielleicht will ich gar nichts?! Nur in Ruhe einfach sein. Nur sein."

„Na ja …"

„Ich will nicht allein sein, wie Ole. Vor lauter ‚Mist' alleine leben. Alles Anlehnenwollen mit Sesseln beantworten und das Abgelehntwerden vorwegnehmen … Mist, Mist, Mist."

„Gerade spinnst du, Inga!"

Die nahm Sophie auf den Arm,

„oh meine Liebe, ich bin so froh, dich zu haben! Und den Karl auch, und jetzt schreib ich auf, was ich wirklich will, zum Beispiel viele Spaziergänge, weiche Sessel, möglichst einen Kamin, ab und zu oder öfter das Meer, ihn neben mir, gutes Essen, schlafen, Worte, noch mehr Spaziergänge, Träume, Kaffeetassen, gedeckte Tische, Kerzen, Worte, ihn neben mir, Blumen, Bäume, das Meer, den Wechsel der Tage und der Jahreszeiten, ihn neben mir, Träume, Worte, Schlaf, Apfelsinen, Bücher, Musik, Filme, ihn neben mir ...“

„Also, wie lange geht das jetzt so weiter?“

„Lange, Sophie – lange. Sehr lange.“

Inga schlief im Sessel ein und Sophie rollte sich neben sie.

Der Muschelsucher und das Glück

Spät in der Nacht wachte sie auf und kochte sich noch eine Tasse Tee, bevor sie sich ins Bett legte.

Ein paar Zeitungen lagen auf dem Tisch, „Wer ist heute ein Vorbild?" las sie als Schlagzeile und dann eine Buchbesprechung zu einem Roman, in dem der Protagonist, angeregt durch die Glücksstatistik in Bhutan, Recherchen zum Glücksstatus in Österreich gemacht hatte.

Inga hielt den Becher mit dem heißen Getränk mit beiden Händen umschlossen. Sie las: „Wer ist heute ein Vorbild?" Und: „Wie sieht es mit dem Glück aus?"

„Das sind gute Fragen, vielleicht sollte ich mit Ole mal drüber sprechen." Sophie, in deren Richtung sie sprach, war aufgewacht: „Frag dich doch erstmal mal selbst …"

„Jetzt macht es mich grad glücklich, gleich ins Bett zu fallen! Komisch, vor einiger Zeit wurde ich gefragt, was heldenhaft für mich sei … So 'ne ähnliche Frage, stimmts?"

„Und welche Antwort hast du?"

„Morgen Sophie, morgen … Ich muss erst schlafen. Das ist gerade mein Glück!"

Inga träumte wild, ohne sich an Genaueres zu erinnern, fühlte sich am Morgen verwirrt und aufgewühlt. Sie ging allein zum Strand, noch bevor sie irgendetwas anders anfing.

„How are you?" Owen, der Muschelsucher, war offensichtlich gerade mit seinem Fahrrad angekommen,

„still tired!" Inga hatte nicht damit gerechnet, ihn zu treffen. Er lächelte sehr gewinnend, die braunen Locken rankten wild um seinen Kopf, „ein irischer Adonis", dachte sie und fragte, ob er jeden Tag hier sei. „Nein, nur manchmal, oft so rund um die Jahreswende."

Die Monate mit „-er", das hatte Inga gelernt, waren Muschelmonate. „Gibt es eine besondere irische Zubereitungsart?", fragte sie, vielleicht, weil ihr nichts anderes einfiel.

„Karotten, Suppengrün, Weißwein, Gewürze ... das ist es eigentlich. Gesund sind die und lecker. Mich machen sie glücklich!" Er lächelte gewinnend und gerade so anzüglich, dass es sie irritierte.

Inga fiel die Frage nach dem Glück ein: Spaghetti vongole genießen, vielleicht zusammen mit Karl, das würde glücklich machen, oder frischen Fisch vom Markt, den er ihr zubereiten würde. Vor ihrem inneren Auge sah sie sich und Karl bei Fisch und Wein, sich angeregt amüsierend; das ihr bekannte, leise Stechen im Brustraum signalisierte: „Vorsicht! Sehnsucht!".

„Verstehe", sagte sie zu Owen, sah ihn herausfordernd an.

„Ich kann dir ja mal welche kochen, wenn du willst."

Inga lachte, „na ja, Owens Seafood, das hatte ich noch nicht hier ...", es machte ihr Spaß zu kokettieren, ernst nahm sie weder ihn noch sein Angebot. „Viel Erfolg dann beim Sammeln!"

„Ha ...", Owen schnitt eine Grimasse, „haben sie dich schon vor dem bösen Owen gewarnt, ja? Huuuu ...", er veränderte seine Miene, als wolle er sie erschrecken. „Für die Leute hier bin ich so ne Art Seeteufel, den sie fürchten ... Na ja ... kannst du dir ja überlegen mit dem Muschelabend. Ich würd dann zu dir kommen, ich weiß ja, wo du wohnst." Er winkte und verschwand mit seinem schwarzen Plastikeimer in den Algenpfützen zwischen den großen Felsbrocken.

Inga ging nur ein kleines Stück spazieren, ein bisschen schneller als sonst, so, als wolle sie die Begegnung wieder abschütteln. Dann kehrte sie um, kochte Kaffee, bereitete Toast vor.

Sophie saß schon da,

„hmmm. Das riecht gemütlich gut. Essen macht glücklich, stimmts?"

„Ja ja, schon. Du kriegst ja auch dein Futter ... Aber das riecht für meine Menschennase eher eklig."

Sie schaute zu, wie Butter und Käse auf dem warmen Brot verliefen, genoss die leicht salzige Mischung im Gaumen, die sie mit schwarzem Kaffee abrundete. Während sie so frühstückte, dachte sie darüber nach, was ihr zum Thema Glücklichmacher einfiel. Ein Stück Papier sollte ihr helfen, Ideen einzufangen. Sie schrieb quer durcheinander, was ihr so einfiel:

Heißer duftender Kaffee; das Meer, das in der Sonne glitzert; sich im Wellenaufundab vom Wasser tragen lassen; küssen; unerwartet einen Brief bekommen; Schrift und Papier betrachten; Worte einatmen; ein Buch finden, das gerade genau richtig ist; die stimmigen Sätze, Gefühle und Gedanken hinter den Worten fühlen; Haut riechen, am besten Liebeshaut; selbst Worte finden für das, was ist; ölige Oliven essen und Wein dazu trinken; die Weite und den Charakter einer Landschaft empfinden; Babygeruch; ein schön gedeckter Tisch und leckeres Essen; in kräftigen Zügen schwimmen; tanzen und sich dabei loslassen; spüren ...

Sie drehte den Zettel um.

„Helden und Vorbilder", hatte sie gerade geschrieben, weil sie ein zweites brainstorming beginnen wollte, als es am Fenster klopfte, so dass sie erschrocken zusammenfuhr. Owen winkte, zeigte auf seinen vollen Eimer,

„heute Abend?"

Inga war perplex: „wie ...?"

„Na, die schmecken nur frisch! Hast du einen Topf und Wasser? Gut! Den Rest bring ich mit."

Weg war er.

„Frech!" Inga dreht sich zu Sophie um,

„na ja, du hättest ‚nein' sagen können."

„Der ließ mir doch gar keine Zeit dazu. Und irgendwie witzig ist er ja auch."

„Ja was nun? Ja oder nein? Was soll denn irgendwie heißen? Wenn du mich fragst, ich finde ihn aufdringlich, aber ausnahmsweise fragst du mich ja mal nicht", Sophie leckte ihre linke Pfote.

„Ich löffele die Suppe jetzt aus", Inga merkte, dass sie neugierig geworden war. Ein bisschen arrogant und nicht ganz geheuer war dieser Owen vielleicht, aber was sollte schon groß passieren? Und außerdem machten Muscheln ja angeblich glücklich.

Sie vertagte ihre Reflexion über Helden und Vorbilder, stellte aber, weil es zum Thema passte, eine lokale Postkarte des irischen Rebellen Michael Davitt auf den Tisch,

„der hat aus seinem Schicksal Großartiges gemacht", belehrte sie Sophie, „mit zwölf Jahren den Arm verloren, in der Baumwollmanufaktur, Kinderarbeit ..., dann haben sie ihn zur Schule geschickt, weil er nicht mehr arbeiten konnte. Da hat er begriffen, dass die Bauern ausgebeutet wurden von den Landbesitzern. Er hat einfach Leute organisiert, geschrieben, unterrichtet, ist gereist ..., hatte vier Kinder und ne amerikanische Frau, die Frauenrechtlerin war." Inga positionierte die Postkarte auf dem Tisch, ein Mitbringsel ihrer Recherchen in der Umgebung, „kommt vielleicht auf meine Heldenliste."

Sie dachte über Vorbilder nach – wer kam da infrage? Der Professor, bei dem zu lernen ein Genuss war? Die über achtzigjährige Freundin mit den vielen Interessen, voller Leben und Engagement? Die Flüchtlingsfamilie, die das unwürdige Aufnahmeprocedere zäh durchgehalten hatte und dabei war, in Deutschland anzukommen? Die Frau, die ihren Beamtenjob aufgegeben hatte, um nur noch künstlerisch unterwegs zu sein?

Inga unterbrach ihre Überlegungen. Sollte sie vorsichtshalber jemandem sagen, dass dieser Owen heute zu ihr kam? Aber wem? Einer Nachbarin? Oder Ole?

Inga ignorierte ihr vages Unwohlsein; letztendlich war Owen ganz nett und sie immerhin eine gestandene Frau; Muscheln zu essen verlockte, und einen einheimischen „Kautz" kennenzulernen, klang interessant. Die Skurrilität der Menschen interessiere sie, hatte sie einer Freundin geschrieben: Grenzgänger, „Typen" ... Owen würde mit Sicherheit so einer sein.

Eine gespannte Aufregung lag über dem gesamten Tag, ohne dass sie irgendetwas Besonderes tat.

Da klopfte Owen wieder ans Küchenfenster, ein ihr bereits bekanntes, lautes und bestimmendes Klopfen.

„Hi Owen", Inga gab sich lässig.

„Wo ist der Topf? Die Dinger müssen am besten sofort ins Wasser ...", er lief schnurstracks in die Küche und packte seinen Rucksack aus: Gemüse, eine große Tüte Muscheln, Gewürze, Wein.

Sophie und James saßen beide im Raum und beobachten das Geschehen.

„Zu zweit schmeckts besser",

Inga überlegte, mit wem er sonst so essen mochte,

„wo wohnst du, Owen?"

„ungefähr die Richtung", – Owen zeigte irgendwohin.
„Mit Muscheln kann man sich ne Lebensmittelvergif-
tung zuziehen, wenn die entsprechenden Algen ...",
Inga roch am Topf: Ihr Empfinden für den streng kon-
zentrierten Muschelgeruch wechselte, zog sie an und
stieß sie ab.

„Muscheln essen ist Russisch Roulette spielen", Owen
lachte gönnerhaft,

„erst Owen ins Haus holen und dann Angst vor seinen Muscheln haben ... Nein, junge Frau!" Er suchte
nach Gläsern, schenkte Wein ein.

„Warum hast du mich reingelassen, na?", Owen stieß
mit ihr an.

„Du hast mir wenig Wahlmöglichkeiten gelassen. Du
hast mir angeboten, Muscheln von hier zu probieren. Du
bist nett!"

„Du bist wagemutig", er fasste sie an die Schulter, sie
ging einen Schritt zurück,

„Muscheln, Erotik, Fruchtbarkeit, Sex, das gehörte
schon immer zusammen ...", er hielt ihr eine vors Gesicht, versuchte, sie mit der anderen Hand anzufassen,
„nicht von ungefähr, oder?"

„Mag ja sein. Mich interessiert, wie sie schmecken."
Sie ging Richtung Herd. Owen nervte. Warum hatte sie
ihn bloß reingelassen?

Owen schüttete die Muscheln in den Topf, gab einen Sud aus Wein und Gemüse darüber, setzte sich. Das Ganze duftete verführerisch.

„Deutsche, was?"

„Ja, na und!?"

„Na ja. Kannst du ja nichts dafür", er taxierte sie. Nah, viel zu nah! Ihr Bauch verkrampfte sich, in den Hosentaschen ballte sie ihre Hände zu Fäusten. James saß mit gespitzten Ohren in der Ecke.

„Prüde Deutsche. Humorlos und geizig vermutlich auch – ha, war nur ein Scherz, dafür ist der kleine Owen bekannt."

Inga überlegte, wie sie Owen wieder loswerden konnte. Sie schaute James an. Der begann zu knurren, Sophie lief mit hochgestelltem Schwanz auf und ab.

„Mensch, lass die Viecher doch mal raus!"

„Oh, sei froh, dass ich nicht noch welche reinhole, die Enten wären jetzt die richtige Gesellschaft für so einen witzigen Iren in meiner Küche."

„Scheiß Weiber", Owen verlor auch noch den Rest seines Charmes.

„Geh jetzt, Owen augenblicklich! Nimm deine Muscheln, oder ich schmeiß sie weg, geh ..."

„Blöde Zicke, humorlose deutsche Gans, du ... Weiber sind doch alle gleich."

Er ließ die Muscheln im Topf und verließ das Haus, nicht ohne die Tür hinter sich geräuschvoll zuzuknallen.

„Glück gehabt", Inga wischte sich übers Gesicht, „so ein Idiot!"

„Ich spar mir einen Kommentar", Sophie war es, die als erste sprach: „Ja, ich weiß, solche Geschichten … das Spüren und das Leben und das Glück … so einfach ist das nicht, Sophie. Jetzt hab ich allerdings Glück gehabt."

Sie gab den Tieren ein Extraleckerli und schüttete die Muscheln auf den Kompost – Würgereiz überkam sie.

Ihre Gedanken über Vorbilder würde sie lieber demnächst mit Ole teilen.

Das fühlte sich gut an. Allerdings würde sie weder ihm noch Freunden zu Hause geschweige denn ihrem Karl jemals von Owen erzählen.

Inga duschte heiß und lange.

Zuverlässig unzuverlässig

Der Muschelabend mit Owen hinterließ ein schales Gefühl.

Inga war froh, bald darauf von Brigid gefragt zu werden, ob sie bei einer Wanderung mitgehen wolle. Es gäbe eine kleine Gruppe, da könne sie gern mitgehen, wenn sie wolle. Samstag um neun Uhr könne sie abgeholt werden, ein Bergwanderrundweg, Letterkean, unweit von Crossmolina. Inga überlegte nicht lang. Sie freute sich über diese Abwechslung und ergänzte ihre persönliche „Glücksaufstellung" um „überraschend gefragt zu werden, an etwas teilzuhaben".

Es war ein kalter, klarer Tag. Der sonst moorige Boden war leicht gefroren, unter der Frostschicht leuchteten knospende Heidekrautblüten in tiefem Violett. Ein Weg über einen Höhenzug, der ungeahnte Ausblicke möglich machte. Immer wieder jemand anders im Gespräch, je nachdem, ob Tempo und Wegbeschaffenheit das Nebeneinanderhergehen zuließen.

Inga lief lange Zeit neben Sara. Der große Geländewagen, in dem sie vorgefahren war, wollte nicht so recht zu der kaputten, grauen Jogginghose passen und Saras Schuhe waren älter, abgetragener, schlichter als die Bergstiefel der restlichen Teilnehmer. Ein Gesicht wie eine Landschaft, Inga schaute die Frau immer wieder an, versuchte, ihr Alter zu ergründen: 50? 60? Oder 70? Im Gespräch erfuhr Inga, dass sie wohl Ende der 60er Jahren studiert hatte, Soziologie in London. Dass sie schon 30

Jahre in Irland lebe und zwar derzeit ganz weit abseits, im Norden der Mullet-Halbinsel mitten in einem Naturschutzgebiet. Manchmal arbeite sie in Dublin. Ihre allerinteressanteste, schönste Arbeit der letzten Zeit habe auf der Fähre zwischen Kiel und Oslo stattgefunden: eine europäische Tagung zu Gender-Studies. Saras Gesicht leuchtete. Haare und Ohren waren unter einer Alpakamütze verborgen. „Solche Mützen gibt es in Chile", wusste Inga, die dort als junge Frau gelebt hatte, das Studium unterbrochen, um weiterzusehen ...

„Genau wie jetzt", fiel ihr plötzlich ein: „Etwas unterbrechen und woanders schauen, wie das so ist." Sie hatte damals beschlossen, ihr Studium zu beenden.

„Ja, die Mütze ist aus Chile." Sara lächelte und erzählte von maoistischen Kontakten in ihrer Studentenzeit, ihren Reisen, politischen Aktionen ...

„Und jetzt ziehe ich um. Weißt du Inga, Einsamkeit macht depressiv. Da, wo ich zurzeit wohne, ist es zu einsam. Ich möchte dort nicht meinen Lebensabend verbringen!" Und dann begann sie zu erzählen, „es weiß sonst keiner in der Wandergruppe ... aber mein Partner, ich halt ihn einfach nicht mehr aus. Er trinkt und raucht sooo viel ... jetzt ist er schwer krank und ändert sein Verhalten kein bisschen. Mich macht das fertig. So lange hab ich das ausgehalten und geduldet ... jetzt hoff ich, er bleibt in Dublin, wo er zur Zeit im Krankenhaus liegt ... Das ist schwer, er war 30 Jahre lang mein Partner. Er hat immer gekocht, wenn ich von draußen kam und den Kamin angemacht ... Aber nun hängt er nur noch rum, macht immer weniger, eigentlich gar nichts – abgesehen vom Rauchen und Trinken. Ich halte das nicht mehr aus. Ich ziehe jetzt um. In Kerry leben ein paar Verwandte von mir, ich ziehe in eine Siedlung dort. Ich will nicht einsam und depressiv alt werden."

Inge nickte. Ihr Respekt vor Sara wuchs, sie dachte an die Rückseite des Zettels mit ihrer Glücksaufstellung, die „Vorbilder". Inga lächelte Sara zu, sie würde Sophie von ihr erzählen und das Bild dieses wettergegerbten, leuchtenden Gesichts nicht so schnell vergessen.

„Nice to meet you!" Ihr fiel nichts Besseres ein. Wie sollte man jemanden sagen, dass er oder sie soeben ins persönliche Heldenkabinett aufgestiegen war?

Inga hätte gern noch mehr über Sara erfahren, aber da waren die anderen, die wissen wollten, aus welcher deutschen Stadt genau sie käme, wie es ihr hier gefiele und ob es ihr nicht zu einsam sei ... Inga lief und beantwortete Fragen: „yes" und „no" und „I like it very much."

Sie schaute in den Himmel: Sterne, wie Sterne ... Menschen gibt es so viele und so viele Geschichten ... „Er hatte immer was gekocht, wenn ich nach Hause kam", hatte Sara gesagt, als sie von ihrem Liebsten erzählte ... Inga musste an Karl denken, sah eine gusseiserne Pfanne voll mit leckerem Essen vor sich. Manchmal war es ihr zu viel, von wem auch immer verköstigt zu werden, und sie konnte es kaum aushalten, verwöhnt zu werden. Und dann wieder war genau das so beglückend, sättigend für „Leib und Seele" ...

Brigid fragte etwas, das sie nicht verstand. Das machte nichts. Sie fühlte sich müde und glücklich. Am Horizont ging die Sonne unter, ein blutroranger Schweif, der immer schmaler wurde und der dahinterliegende Berg immer schwärzer.

Zu Hause angekommen, fütterte sie die Enten, kochte sich einen großen Teller Nudeln und setzte sich dann an den Kamin: „einsam-müde-nachdenklich-glücklich-traurig, gibt es dieses Gefühl?", fragte sie Sophie und ohne eine Antwort abzuwarten: „Komm ich dem näher, was ich hier will? Alle wünschen mir das auf irgendwelchen Karten, Mails, Kurznachrichten. Und was ist DAS genau, was ich will?"

„Hab ein bisschen mehr Geduld. Heute hast du doch offenbar eine Menge Brauchbares abbekommen, oder?"

„Hab Geduld!! Puh! Jedes Kind hört das so viele Male im Leben und später dann das augenzwinkernd hingesagte ‚Gras wächst nicht schneller, wenn man daran zieht' ... Aber was heißt das in meinem Fall? Hm??" Inga schaute Sophie herausfordernd an,

„oh Mensch, du kannst ganz schön anstrengend ...", begann die Katze und wurde sofort wieder unterbrochen,

„ich dulde solche Sätze nur von denen, von denen ich meine, dass sie – meistens wenigstens – unterscheiden können, wann es sich lohnt, Geduld zu haben. Und wann es feige ist. Wenn es nämlich eigentlich gälte, etwas zu tun, etwas zu verändern. Die Duldsamen sind manchmal auch die Scheinheiligen ... Ich bin ungeduldig und warte auf etwas, dem ich selbst keinen Namen geben kann."

„Mit was verbindest du Warten denn?" Sophie tat ihrem Namen alle Ehre,

„Wartezimmer, Warteschlangen, Wartezeiten ... Fremdbestimmtes Angewiesensein hinnehmen – das macht mich in der Regel machtlos, konturlos, freudlos ... Und das endlich Drankommen erreicht mich dann als Zermürbte, weich Gekochte." Inga hielt kurz inne,

„anders ist es, wenn nach langen Wintern das erste Grün kommt, wenn hier eine dieser stakseligen Hühnerdamen nach ihrer Legepause wieder ein Ei legt, damals, als sich nach langem Schwangersein endlich die Geburt ankündigte oder wenn ein erhoffter Brief oder gar Besuch tatsächlich kommt ... wenn etwas eintritt, das sich vorbereitet hat, ein Prozess des Nicht-Machbaren, des Es-ist-wie-es-ist. Solches Werden auszuhalten, zu beobachten, das mag ich."

Inga dachte nach.

Sara hatte ihr erzählt, dass sie das Leben – so, wie es war – nicht mehr aushalte. Und deshalb weggehe. „Sie hat gesagt, die Entscheidung sei reif. Sie wolle es nicht mehr dulden, dass ihr Partner so mit sich umginge. So zerstörerisch. Und mit ihr."

Wie lange hatte Sara das wohl ausgehalten?

Was daran bewirkte diese heftige Resonanz in ihr selbst? Inga dachte an ihre Lebenssituation. Etwas drückte sie. Dieses Gefühl zwischen Baum und Borke, schon viel zu lange irgendwo festzuhängen.

„Was ist gut auszuhalten und wie lang? Und woran merkt man, wann es anders werden muss?"

Sophie wurde ungeduldig: „Man merkt es offenbar!"

„Dulden ... erdulden ... Duldung ..." Inga dachte an Flüchtlinge, die sie kennengelernt hatte. Täglich kamen neue Bilder im Fernsehen dazu. Die werden geduldet, weil der Staat sie eigentlich loswerden will, was aber aus unterschiedlichen Gründen nicht möglich ist. Manche haben Geduld und warten auf einen anderen Status. Andere verzweifeln.

„Geduldetwerden ist Ausgehaltenwerden, obwohl etwas nicht stimmig ist. Es steht dem entgegen, was eigentlich sein sollte", resümierte sie und weiter: „Geduld kann Größe sein wie auch Größe verhindern. Geduld, die taub und blind macht, schreit nach ihrer anderen Seite, der Ungeduld ... – Sophie, ich unterdrücke das Ungeduldsgeschrei manchmal und manchmal gebe ich ihm zu viel Raum. Ich schau ihn mir nicht immer wirklich an, den Brüll-Löwen."

„Und wenn du es tun würdest?"

„Dann würde er schreien, dass er ein verhungertes Kind ist, das spielen will, reisen, lesen, schreiben ..., dass er gefüttert werden will. Und nicht ausgesaugt."

James mischte sich ein: „Ich will auch gefüttert werden! Dringend!"

Er wedelte zur Bekräftigung mit dem Schwanz, „sonst stimme ich gleich ein Bell-Gebrüll an!"

„Okay, James. Das würde ich weder ertragen, noch dulden. Also ...", sie schüttete ihm Futter in seinen Napf, räkelte sich und schaute aus dem Fenster. Die Gedankenkette brach nicht ab:

„Dulden kann Herausforderung sein oder ein Zustand, der aus Mangel an Alternativen entsteht, zum Gewohnheitsrecht wird, fad schmeckt, ein undefinierbar graubeigbraunes Etwas, das sich verfestigt und das Lebensgrün erstickt, bis es blutend aufbricht oder explodiert."

„Geduld und Dulden und geduldig dulden und ungeduldig werden, duldsam sein, geduldig ungeduldig ..." Wörter klingen nur im Zusammenhang, fand sie, bedeuten etwas für jemanden und etwas anderes für jemand anderen und sind zu dieser Zeit nicht das gleiche wie zu jener. Sie sind zuverlässig unzuverlässig.

„Die eigene Stimmigkeit finden, aus klangvollen und schrägen Tönen eine Musik bauen – das ist Lebenskunst!" Sie stand gerade noch rechtzeitig auf, bevor sie vor dem Kamin einschlief: „Mit Wörtern spiele ich lieber als mit dem Leben, Sophie – gute Nacht!"

„Besser ...", miaute Sophie und rollte sich ein, „gute Nacht."

Dass Inga nur wenige Stunden später krank wurde und mit Kälteschauern, Kopf- und Gliederschmerzen kämpfte, schien ihr wie eine neuerliche Geduldsprobe. Die sie nicht bestellt hatte. Je mehr ihr Körper schwächelte, desto weniger wurde sie der schwarzen Pfeilspitzen in ihrem Kopf, der Infragestellungen und Zweifel Herr. Sie wollte sprechen, etwas bekommen. Und fühlte zugleich Überdruss und Unlust, sich mit irgendjemandem auseinanderzusetzen.

„Haben alle Dinge zwei Seiten, wie so viele Wörter? – Geduld – Dulden; Besuch – Suchen; Sehnsucht – Sucht; Langeweile – lange weilen ... gibt es überhaupt jemals Eindeutigkeit?!"

Inga fühlte sich im Zwischen: „weder Baum noch Borke". Oder – noch gefährlicher – „zwischen Skylla und Charybdis". So, als ob sie, wie in Homers Odyssee, noch eine ganze Reihe mehr oder weniger gefährlicher Abenteuer durchstehen müsse.

„Was scheint denn so bedrohlich?", würde jetzt fast jeder fragen, dem sie davon erzählen könnte. Oder etwas sagen wie: „Ruh dich erstmal aus!" In welchem Kampf befand sie sich eigentlich gerade? Welche Ungeheuer bedrohten sie? Welche Heldenhaftigkeit konnte oder wollte sie vollbringen?

Inga bemühte sich nach Kräften, die Grippesymptome zu ignorieren und ging, eingepackt in Kapuze, Schal und dicke Socken, spazieren. Luft und Bewegung sind immer noch die beste Medizin, redete sie sich selbst zu. Sie kannte diese fade Nervosität, die meist mit Weinerlichkeit und allgemeinem Unwohlsein einherging als Vorge-schmack nahenden Krankseins. Sie deckelte diesen Zu-stand, so lange es eben ging.

An diesem Tag tat es gut, Ole wie zufällig zu treffen: „Inga, weißt du, du hast mich allein gelassen mit meiner Geschichte. Da hab ich dir nun dieses und jenes erzählt und dann bist du gegangen. Wo bist du? Was beschäftigt dich? Was machst du hier? Davon hast du nicht gespro-chen."

Inga musste unvermittelt weinen, „das weiß ich doch selbst nicht", brachte sie dann unwirsch hervor. „Ich puzzele die Sachen zusammen und in meinem Kopf ent-steht ein Salat aus schwarzen Pfeilspitzen", ergänzte sie.

„Salat ist doch in der Regel erstmal lecker – was mischt sich denn da bei dir alles zusammen?"

„Die Natur, dieser Riesenfels, dieser sinnlose Grenz-posten, die Leute hier, deine Geschichte und dein Al-leine-vor-sich-hin-Heilen, Sara, eine Frau, die ich beim Wandern kennengelernt habe, die Kälte, die Einsamkeit, meine Arbeit, Karl, zu Hause …, was immer das ist. Und außerdem kränkele ich."

„Interessanter Salat", Ole grinste.

„Ich brauch keine schlauen Kommentare!"

„Ich weiß, Inga, vielleicht einfach nur jemanden, der dich in den Arm nimmt. Aber ich weiß nicht, ob ich das darf."

Inga dachte an den Abend mit Owen. Der war ihr schlecht bekommen.

„Ja, von mir aus, steck dich nur an." Sie blieb im Ton unverändert abweisend. Ole drückte sie, kurz und fest.

„Ich könnte am Abend Fisch kochen, heute gibts frischen zu kaufen. Würdest du mir Gesellschaft leisten oder willst du dich erst auskurieren?"

Inga war unfähig zu zeigen, dass sie sich über die Einladung freute.

Sie dachte an den Fischladen am Hafen des Nachbardorfes. Zweimal in der Woche verkaufte die rotgesichtige Frau mit dem Zahnlückenlächeln frischen Lachs, Forelle, Kabeljau und andere Fische, die Inga nicht kannte, garantiert fangfrisch, das war nicht zu überriechen. Vor dem kleinen Tresen lagen die toten Tiere, die gerade noch im Meer geschwommen waren, aufgebahrt auf Eis und warteten darauf, irgendwo von irgendwem zubereitet zu werden.

„Ich komme und bringe eine Flasche Wein mit", versprach sie. Es fühlte sich gut an so.

Den Rest des Tages verbrachte sie damit, ihre Wäsche zu waschen, das Bett frisch zu beziehen, sich eine geraume Weile hinein zu legen und auszuruhen. Sie hörte Musik, schrieb englische Vokabeln auf und fühlte sich für ein paar Stunden plötzlich eins mit sich und ihrer Umgebung. Und vor allem meinte sie, schon wieder viel gesünder zu sein.

Es duftete unzweifelhaft nach einem Fischgericht, als sie Oles Wohnung betrat. Inga hatte Sophie versprochen, ihr ein gutes Stück davon mitzubringen.

„Hallo Ole – voilà, vino bianco, ein feiner Tropfen …"

„Dann mach mal auf und lass uns anstoßen", Ole war gerade dabei, den Tisch zu decken, er reichte ihr einen Korkenzieher, „skal!, so heißt das bei uns."

„Skal", Inga stieß mit ihm an.

„Vermisst du es, schwedisch zu sprechen?"

„Hm nein, eigentlich nicht. Ich schau mir manchmal einen schwedischen Film an, lese ein Buch und das Svenska Dagbladet lass ich mir von Freunden mitschicken, wenn sie mir schreiben und dran denken … ich lebe schon lange hier. Aber jetzt beginnst du schon wieder mit deinen Fragen – ganz schön schwer, dir auszuweichen."

„Warum solltest du? Welchen Fisch gibt es?"

„Es ist nun mal Lachsangelgebiet hier, und der lag frisch da; da konnte ich nicht widerstehen."

Inga schaute in den Ofen: Ein großes Stück Lachs, umrahmt von buntem Gemüse, lag auf dem Blech, knusprig und offensichtlich soeben fertig zum Verzehr.

„Setz Dich. Lass uns essen!" Ole richtete den Fisch direkt auf zwei Tellern an, drapierte das Gemüse drumherum, stellte frisches Brot auf den Tisch, auf dem schon Zitronen lagen. Er zündete eine Kerze an: „die sind hier schwer zu kriegen, nicht wahr? Aber ist doch irgendwie festlicher."

„Wow Ole, das ist großartig. Wirklich ein Fest!"

„Na ja, wir könnten eine Art schwedische Verbrüderung feiern, wenn du einen Anlass brauchst, war er nicht Schwede, dein Großvater?"

„Für eine Verbrüderung bin ich etwas zu weiblich, aber ja, schwedisch oder deutsch-schwedisch ... was weiß ich, lass uns essen!"

„Yes, enjoy your meal!"

Sie aßen langsam und lange, sprachen wenig, warfen ab und zu einen Blick auf das an diesem Abend arglos ruhige Meer und den grau-schwarz gestreiften Himmel.

„Oh, das ist gut!", Inga schenkte Wein nach.

„Yes indeed! Darf ich eine rauchen, Inga beziehungsweise möchtest du auch eine, oder einen Kaffee?"

„Beides bitte, wenn das geht!"

„Yes, with pleasure."

Sie standen vor Oles Cottage und rauchten.

„Okay, Inga. Aber mal ehrlich, ich bin auch neugierig auf dich. Was um Gottes Willen machst du hier? Und was hat dich so beschäftigt, an dem was ich dir erzählt habe?"

Inga blies Rauch in die Luft,

„hm ... na ja, time-out, hat sich so ergeben, war nötig, irgendwie stimmte alles nicht mehr und ich hatte das Gefühl raus zu müssen. Aus allem. Und dass ich jetzt hier bin, ist eher Zufall. Punkt."

„Aha. Und zu Hause gibt es eine Arbeit und einen Karl und einen schwedischen Großvater hast du und ..."

„Da hast du ja gut zugehört ...", Inga schaute in den Himmel,

„mehr gibt es eigentlich gar nicht zu sagen."

„Aha!" Ole drückte seine Zigarette aus, „lass uns reingehen. Es ist kalt."

Inga setzte sich und begann unvermittelt zu reden: „Ole, es ist irgendwie gut, dass du hier wohnst. Das verwirrt mich alles. Die Dinge klingen so stark nach. Ich vermisse Karl, obwohl ich Abstand brauchte. Ich fühl mich einsam und scheue Besucher. Ich suche etwas und weiß nicht, was. Ja, deine Geschichte hat mich sehr berührt: das unbemutterte Kind ohne Vater, das kenn ich – anders, aber ich kenn das ... Dass du schwedisch bist, rührt an Wurzeln, die ich so gut wie nicht kenne. Reicht das nicht?"

„Hm ... und wovon magst du genauer erzählen? Das sind ja mindestens fünf Themen."

„Von gar nichts Ole, von gar nichts. Ich sitze hier und genieße und fertig!"

„Aha. Ja dann ..."

„Ja ..."

Sie hatte Lust, sich an Ole anzulehnen, aber das würde nur Verwirrung stiften. Sie war melancholisch, hatte Wein getrunken und Sehnsucht, dachte an den Liebsten ... Karl ... verflixt, Karl ... hilf mir, mit all diesen Fragen klarzukommen ...

„Inga, was genau willst du klären?", Ole unterbrach ihre inneren Sehnsuchtsgebärden.

„Ole, ich weiß nicht. Lass mich den Fisch genießen und den Abend und ... Meine Mutter hatte, glaube ich, eine ziemlich große Vatersehnsucht, noch größer als ich. Und ihr Vater war dieser verflixte Schwede mit dem Selbstmord vor Stalingrad. Und ihr Pflegevater war wohl ihr gegenüber ein Arschloch, wenn du verstehst, was ich meine ... Dann erzählst du mir diese furchtbar traurige Vatergeschichte ... und ich sehe hier diesen abgespaltenen Fels und diesen unsinnigen Grenzposten und ich fühl mich allein und geh noch weiter weg von allen ... und Karl ... verflixt, ich tu mich so schwer mit dem allen ..."

Inga mochte weder weinen noch weitersprechen.

„Der Mann scheint dich zu lieben?!"

„Ja, vielleicht schon, und dann verheddere ich mich immer wieder in so Geschichten wie neulich ..."

„Was neulich??"

Inga biss sich auf die Zunge, "ach nichts ..."

„Aha."

Es war ihr plötzlich egal, „Owen, dieser Owen ..., er wollte mir nur Muscheln kochen. Er war irgendwie so, wie ich es nicht gebrauchen konnte. Sowas kenn ich, immer wieder ...“

„Hm ... Und warum heiratest du deinen Karl nicht und ihr führt ein glückliches Leben und fertig?“

„Verdammt Ole, lass mich in Ruhe, ich weiß es nicht!“

„Ist ja schon gut ... Mehr Kaffee oder mehr Wein?“

„Wein!“

Inga traute Ole und traute ihm nicht, was belangloser wurde, je länger der Abend sich hinzog.

„Na ja, diese Schwere innendrin ... Regelmäßig klopft sie an, als wolle sie noch irgendwas ausrichten, etwas erledigen, schlimmer: mir was verbieten! Das nervt! Aber wie du so vor dich hinlebst, das macht mich an: Ich will es allerdings lebendiger, leidenschaftlicher, gemeinschaftlicher ... Irgendwo ist da eine Parallele.“

„Sehr diffus Inga. Sehr diffus. Warum wirst du nicht konkreter?“

„Wörter sind gefährlich. Geschichten erst recht!“

„Inwiefern?“ Ole wollte seine Hand auf ihre Schulter legen, zog sie aber schnell wieder zurück, Inga sprach weiter: „Sie nageln fest: Das und das hast du gesagt ... ‚Was denkst du dir eigentlich? Hast du eigentlich bedacht, dass ...?‘“

„Aha. Aber ohne Wörter und Geschichten ist doch alles arm und kalt, oder nicht? Wir haben heute ‚skal' gesagt, sozusagen auf unsere schwedische Gemeinsamkeit angestoßen, also: Was weißt du denn von deinem Großvater, Inga?"

„Ein Pelztierjäger. In Huddinge hat die Familie gelebt."

„Das ist unweit von Stockholm ..."

„Ja, ich war mal da", erinnerte sich Inga. „Nachdem ich so ein Dokument gesehen habe, das meine Mutter besitzt. Ich hab die Adresse gefunden, mir das Haus angeschaut. Einen Liebesbrief gibt es noch an die Mutter meiner Mutter, Kerstin hieß die. Der Brief war in deren Nachlass und ist nach ihrem Tod zu meiner Mutter gelangt."

„Is ja irre! Ich hab auch Verwandte in Huddinge."

„Skal", Inga stieß mit dem letzten Schluck Wein noch einmal an. „Verrückt, wen denn?"

„Ein Cousin mit seiner Familie. Huddinge ist aber doch eher eine Vorstadtsiedlung und relativ jung ..."

„Stimmt", Inga nickte, „ich war auch irritiert, als ich dort war, aber es gibt einen Weg außerhalb, da stehen ein paar vereinzelte Jahrhundertwendehäuser. Die Eltern dieses Großvaters sollen Apotheker gewesen sein. Ich weiß das alles nicht wirklich, und vielleicht ist es auch nicht relevant."

„Na, auf jeden Fall frag ich Sven, meinen Cousin, mal über diese Gegend aus ... ist doch interessant!"

„Ehrlich gesagt, Ole, Kerstin, diese Großmutter, hat mich immer interessiert. Ich fühle mich ihr irgendwie verbunden. Hab sogar ihr Grab ausfindig gemacht. Ein Plattenbaufriedhof im Osten ..."

Ola lachte, „na ja, sie hat offenbar diesen Schweden geliebt ..."

„Ja, als sehr junge Frau. Dann hatte sie mindestens zwei weitere Männer: Lebensgefährten, das ist ein schönes Wort, nicht nur in diesem Zusammenhang", Inga schaute auf die Uhr.

„Du möchtest gehen? Ja, es ist tatsächlich spät. Aber mir scheint, Inga, dass dich doch vor allem die Männer beschäftigen, deine Großmutter in Ehren ... Was ist eigentlich mit deinem Karl?"

Inga wusste nicht, ob sie antworten wollte. Ole ging weit, fand sie,

„der hat eben auch seine Geschichte und die ist mindestens so zerklüftet wie meine ...", antwortete sie absichtlich vage.

„Na, dann bin ich ja beruhigt. Irgendeine Wahlverwandtschaft braucht es ja offenbar, um dir näher zu kommen. Die fühl ich im Übrigen auch. Also, deinen Karl versteh ich ..."

Inga war schwindelig, sie fror plötzlich wieder, „Ole, lass uns wann anders weiterreden. Es ist spät. Ich möchte nach Hause. Danke für alles!"

„Ja. Hej! Oder: see you ...'" Ole winkte ihr nach.

Zu Hause setzte sie sich an den Kamin, „Wahlverwandte – was würdest du darunter verstehen, Sophie?"

„Ganz schön lange warst du weg bei diesem Ole. Hast
du ihn dir nun als Verwandten erwählt?"

„Nee, aber er erzählte irgendwas von Wahlverwandtschaft, die es brauche, um mir nahe zu kommen ..."

„Die starke Triebkraft bei einer chemischen Reaktion
eine Bindung einzugehen, das nennt man auch Wahlverwandtschaft",

„meine Güte Sophie, wo hast du denn das her?"

„Allgemeinbildung, würde ich sagen. Aber jetzt bitte
keine weiteren anstrengenden Themen!" Sophie streckte
sich lang auf dem Boden aus.

„Wahlverwandt", Inga hatte Goethes Roman nie
wirklich gelesen. Jetzt hätte sie ihn gern zur Hand gehabt, als würde das irgendwas erhellen. Was fiel Ole ein,
zu behaupten, Männer würden sie mehr beschäftigen -
und ihr dann zu verstehen zu geben, dass er auch so ein
Wahlverwandter sei. Andererseits ... ihr fiel wieder ein,
wie soghaft sie von Anfang an versucht hatte, Ole kennenzulernen: Gab es eine Art gegenseitiger Anziehung
irgendwie hier Gestrandeter?

Inga ging zu Bett, schlief tief und fest, bis das einfäl-
tige Geschnatter der Enten sie weckte. Sie war froh um
das morgendliche Füttern und Misten in der kalten Luft.

„James, komm wir gehen spazieren", sie nahm den
Hund und lief ein weites Stück den Strand entlang, bis

ihre Finger so kalt waren, dass sie das unbedingte Bedürfnis verspürte, einen warmen Becher mit Kaffee zu umfassen.

Später füllte sie den Becher mehrmals nach, aß einen Toast und machte sich daran, ihren Computer hochzufahren und über die deutschen Schweden zu recherchieren.

1862 hatte sich in Stockholm eine Deutsche Gesellschaft gegründet. Ein „fröhliches Eisbeinessen" von Industriellen, Kaufleuten und Intellektuellen in diversen Hotels oder auch im Restaurant Rosenbad gehörten zu deren Ritualen. Apolitisch wollten sie sein und hatten sich in kritischen Zeiten auf Hilfslieferungen kapriziert. Die Deutschen in Schweden seien in der Zeit um den Zweiten Weltkrieg näher zusammengerückt. Man habe Geld an das Deutsche Rote Kreuz gespendet. Ab 1929 hatten auch Damen Einlass in diese, hauptsächlich aus Akademikern und Industriellen bestehende Gesellschaft erhalten.

Inga entrüstete und verwirrte das alles. Sie dachte an Sara, die ihr unbeabsichtigt etwas zum Thema Geduld beigebracht hatte; „kommt Zeit kommt Rat", sagte sie mit Blick zu Sophie, „ich puzzele weiter! Aber nicht jetzt."

„Meine Liste von Ungelöstheiten wächst, es scheint ein Riesenpuzzle zu sein", dachte sie bei sich und ihr fiel ein, dass sie es noch nie besonders gemocht hatte, Puzzleteile zusammenzulegen.

„Puzzeln ist was für Geduldige", sagte sie in den Raum, als es klopfte.

Es war Ole. „Hj, Inga",

„Hi, how are you?" Sie schaute ihn an.

„Ich musste meinen Cousin direkt heute Morgen anrufen. Ja, also er kennt diese Jahrhundertwendehäuser, etwas außerhalb von Huddinge Richtung Langjönsee. Da hätten auch lange Deutsche gewohnt, sagte er. Na ja, nicht so beliebt bei meiner Verwandtschaft: Vaters Bruder, eben auch jüdisch. Die beiden Brüder sind zusammen in Schweden gelandet. Er redet allerdings so gut wie nie über meinen Vater. Aber jetzt kommts: Eine meiner Cousinen, also eine Schwester von Sven, hatte so ne deutsch-schwedische Liebschaft, nach dem Krieg erst, aber gern gesehen hat das keiner. Ging dann auch nicht gut – aber ein Kind hat sie von dem. Björn heißt der Knabe – müsste jetzt so Mitte 20 sein. Wo sein deutsch-schwedischer Vater abgeblieben ist, keine Ahnung ..."

„Hm", etwas widerwillig erzählte Inga von der Deutschen Gesellschaft in Stockholm, „sag mal Ole, was hat das eigentlich alles mit uns zu tun?"

„Na, irgendwie liegen wir da doch nah zusammen, oder nicht?", Ole legte seinen Arm um ihre Schulter,

„hm, die berühmte Wahlverwandtschaft ..." antwortete sie, „ich weiß nicht. Wir stochern halt beide in irgendwelchen Verwandtschaftskisten, sind beide Kriegskinder – nee, also Kriegsenkel, hier irgendwie gelandet, auf der Suche nach irgendwas. Du schon lange und bleibst wohl hier. Ich erst kurz und gehe wieder. Das wars."

„Na ja, ich finds jedenfalls schön, dich hier kennengelernt zu haben, Inga."

„Sag mal", Inga wand sich aus seinem Arm, „wie hast du das gemeint mit den Männern bei mir?"

„Na ja, weiß nicht ... So ganz gewöhnlich ist das ja nun nicht, mit dem ,ein paar Monate abhauen' – muss man ja erstmal nen Mann für finden, oder man will gar keinen finden oder weiß der Kuckuck ..."

„Aha. Ole, manchmal nervst du auch einfach. Eigentlich geht dich das gar nichts an."

„Nee, aber dass ich da neugierig bin, verstehst du doch, oder?"

Inga hielt mit, „und was war mit Kate, deiner Liebschaft hier vor Ort?"

Ole schaute mit einem Mal traurig. „Inga, du bist gemein. Das war ne schöne Zeit und dann war es halt vorbei."

„Na, du hättest jetzt auch noch anhängen können, dass mich das nichts angeht ..., also Ole, was ist das gerade? Sei mein gewählter Verwandter, von mir aus lass da irgendeine Verbindung zwischen deiner Familie und der meines Großvaters sein, – lass uns weiterreden und essen und spekulieren ... Ist ja irgendwie auch spannend, diese Wahlverwandtschaft."

Ole sah traurig aus. „Ja, spannend auch."

Das kalte Herz

Ole war während des Gesprächs richtig traurig geworden. Er war den ganzen Tag an Ingas Küchentisch sitzen geblieben. Inga hatte viel Kaffee gekocht. Sie verhielt sich mechanisch, routiniert, mutierte wie automatisch zur Krankenschwester. Und fühlte nichts. Auch nicht ihr eigenes Kranksein, auf das nur der Geruch von Eukalyptusbonbons hindeutete.

„Meine Güte Inga, bist du so kalt? Ich fass es nicht!" Ole schaute sie an.

Dass Verwirrung und Gefühllosigkeit zusammengehörten, war ihr vertraut. Meist irritierte das andere oder verstärkte deren Gefühle. Wie jetzt bei Ole, in dessen Blick auch ein wenig Rührseligkeit lag.

„Du musst dich nicht mit mir befassen, Ole, und ich hab dir keine Wärme versprochen!" Sie verkniff es sich, weiterzureden. Die Schärfe ihrer Worte schnitt ihr ins eigene Fleisch.

Er schüttelte den Kopf, machte aber keine Anstalten zu gehen. Als Inga mit James von einem Minispaziergang wiederkam, saß er immer noch da.

„Ole, leg dich hin, hier ist ein Bett. Ruh dich aus. Was weiß ich, was bei dir alles hochkommt. Schlaf!" Er stand auf, zog sich Pullover und Hose aus und legte sich in Ingas Bett.

Dass sie sich dann neben ihn legte, schien ihr zwar selbst wie fremdgesteuert, zugleich aber auch selbstverständlich. Ein Teil von ihr lag nun bei ihm. Streichelte und liebkoste ihn, bis sich ihre Körper immer mehr ineinander verfingen. Der andere Teil schaute zu und beurteilte das Geschehen als etwas, das mit Sicherheit nichts einfacher machen würde.

Ole schlief ein, während Inga immer wacher wurde. Sie stand auf, und da sie irgendetwas tun musste, sortierte sie ihre dreckige Wäsche und stopfte sie in die Waschmaschine.

„Was passiert jetzt?", Sophie wusste, dass sie sich mit dieser Frage weit vorwagte,

„halt mal deine Schnauze, Sophie!"

„Es war eine vorsichtige Frage, und ich lebe nun mal auch hier."

„Scheiße Sophie, das weiß ich doch auch nicht", Inga setzte ihre Geschäftigkeit fort, bügelte ein paar Blusen, wischte den Boden, rückte Tassen und Becher im Schrank zurecht und machte dabei viel Lärm,

„Wahlverwandtschaft ... so ein Quatsch!" platzte es dann aus Inga heraus. „Menschen sind komplizierter ... und eben auch einfach. Alle brauchen Wärme. Nur jetzt ist mir so fürchterlich kalt, und ich fühl gar nichts."

Sie dachte an Karl, er schien weit weg, wie in einer anderen Welt. „Ich hab ein kaltes Herz, Sophie."

„Dann erwärm es, oder wie im gleichnamigen Märchen, sieh zu, dass du dein Warmes wiederfindest, das irgendwo auf der Strecke geblieben ist. Oder schlaf einfach. Du siehst fertig aus und diese Bonbons helfen auch nicht. Sie stinken nur!"

Sophie sprang durch das Fenster in den Garten, sie wusste, dass Inga vermutlich ungehalten auf ihre Kommentare reagieren würde. Deshalb zog sie es vor, nach Mäusen zu jagen oder James zu ärgern, der sich beim Aufpassen auf die Enten ausgesprochen wichtig vorkam.

Ole war offensichtlich in einen länger währenden Tiefschlaf gefallen. Inga, die zwar erschöpft aber zugleich hellwach war, fiel nichts Anderes ein als – wenn auch widerwillig – Sophies Anregungen aufzunehmen und „das kalte Herz" zu lesen, nun ja: Erst mal danach zu suchen. Sie fuhr also den Computer hoch und starrte auf den Bildschirm, verlor sich in ihren Gedanken und hätte jetzt viel für Sophies Gesellschaft gegeben: „Dieser Peter Munk, der Köhler, war ein Vaterloser ... wie Ole", sprach sie vor sich hin, als sie Hauffs Märchen gefunden hatte. „Ich im Prinzip auch – wie abgetrennt, dieser Vater, der mich irgendwie anders vielleicht gemocht hätte. Suchende, verzweifelte Mütter, auf die man sich fixiert, hatten wir offensichtlich auch alle beide. Für den Preis, sich selbst immer fremder zu werden und stets irgendwas zu suchen. Da kann das eigene, kleine Herz schon mal auf der Strecke bleiben oder man läuft allem oder allen möglichen hinterher ..."

Ole schlug die Augen auf, „na jetzt haben wir also unsere Wahlverwandtschaft besiegelt", spöttelte sie ihm entgegen, noch bevor er irgendetwas sagen konnte.

„Mein Gott, bist du böse, Inga. Diesen Sarkasmus kannte ich bislang gar nicht an dir."

„Jetzt kennst du ihn. Und weiter?"

„Ich geh jetzt nach Hause. Wir reden wann anders." Mit dieser Verabschiedung hatte Inge dann doch nicht gerechnet. Kaum hatte er die Tür zugemacht, brach sie in Tränen aus und konnte sich nicht mehr halten.

James und Sophie standen etwas ratlos um sie herum. Diesmal war es James, der ein: „So schlimm ist es nun auch wieder nicht", von sich gab. Und Sophie ergänzte: „So kalt scheint dein Herz ja doch gar nicht zu sein."

Inga streichelte abwechselnd das eine, dann das andere Tier. Draußen heulte ein heftiger Sturm.

„Meine Güte, was für ein Durcheinandergewirble ..., also, was ist jetzt dran in diesem Theater?"

Sophie gefiel das Bild, „oh ja, welche Rolle hast du darin, Inga? Irgendwas Tragisches? Wenn ich Regisseurin wäre, würde ich jetzt Karl überraschend einfliegen lassen und die tragisch verstrickte Wahlverwandte hätte zwei Männer vor sich und müsste sich irgendwie entscheiden. Oder verhalten ..."

„Oder die beiden Männer würden sich duellieren", ergänzte James, „mehr die klassische Variante."

„Na ja", Sophies Phantasie war angeregt, „oder irgendein Dokument taucht auf, in dem deutlich wird, dass Ole und Inga wirklich verwandt sind – viel verwandter als sie dachten ..."

„Oder", James entwickelte ungeahnte Ideen: "Sophie, ich werde Dramaturg, wenn du die Regie übernimmst ... Also: Irgendein schwedischer Verwandter taucht auf und beide haben irgendeine Beziehung zu ihm."

„Oder", Sophie steigerte sich in ihre Rolle hinein, „Ingas Vater stößt was zu und dabei wird ersichtlich, dass er vor Ingas Geburt für ein paar Jahre in Schweden gelebt hat ... Ole merkt, dass die Geschichte mit dem jüdischen Vater nur eine Geschichte ist ..."

„Na ja", James bellte vor Freude, „irgendwie kommen sie dann aus der Gemengelage raus, mit allerlei Blessuren zwar, aber irgendwie geläutert. Inga fährt zurück nach Deutschland zu ihrem Karl und Ole kommt als Fischkoch hier im Ort groß raus oder so."

Und dann waren sich James und Sophie einig: „Und wenn sie nicht gestorben sind, dann leben sie jetzt immer noch und glücklicher als vor dem ganzen Schlamassel."

„Kostüme brauchen wir und einen Vorhang und Beleuchtung", Sophie konnte sich von der Rolle kaum trennen.

Inga musste lachen. „Okay, ich gebe mich geschlagen. Die Nummer ist zu bewältigen! Ich leg mich jetzt aber erstmal hin. Richtig fit bin ich schon die ganze Zeit nicht, wenn ich nicht sogar Fieber habe!"

Inga schlief mehrere Stunden. Und auch die nächsten zwei Tage verbrachte sie weitestgehend im Bett, erholte sich in dem Raum zwischen Schlaf und Wachsein mit jeder Menge unzusammenhängender Träume recht schnell.

Sobald sie sich wieder gesund fühlte, machte sie sich auf den Weg zu Oles Haus und klopfte etwas fester an, als sie das gewöhnlich tat.

Ole machte auf: „Hi!"

„Hi, Ole – ich war merkwürdig drauf, als du neulich aufgewacht bist ..."

„Merkwürdig drauf ..., na, so kann man das auch nennen. Mensch, Inga!"

„Ja, Mensch Ole – es menschelt halt und wir sind zusammengerückt und ... ich will das entdramatisieren!"

„Hm. Du willst nicht nochmal zu mir kriechen, und du willst, dass wir so tun, als sei das auch nie passiert?", Ole sprach betont nüchtern.

„Nein, es ist wirklich nicht die Rede davon, dass wir uns jetzt regelmäßig wärmen werden ..."

„Aha. Hab ich das denn verlangt?", unterbrach er sie.

„Nee, aber ich fürchte, dass du das tun wirst." Sie blieb unbeirrt.

„Nein oder doch, ja ... es fühlte sich gut an, in jedem Fall besser als die Spannung davor, von wegen Wahlverwandtschaft ..."

„Ach, lass mich doch mit diesem Wort in Ruhe!" Inga fiel plötzlich auf, dass sie Ole von Beginn an einerseits anziehend gefunden hatte, ihm andrerseits auch ziemlich misstrauisch begegnet war,

„das ist nicht von mir", wehrte er sich sofort, ohne ihren Redefluss stoppen zu können,

„von mir aus von Goethe oder aus dem Chemielabor oder beides ... Also, weder habe ich eine leidenschaftliche aber unerlaubte Beziehung zu dir, noch bin ich nicht mehr Frau meines Willens!"

Ole sah sie starr an: „So klar ist dir das?"

„Hm ... James und Sophie würden gern ein Drama daraus machen. Und dann Karl mit ins Spiel bringen oder eine schwedische Verstricktheit oder so ..."

„Und wenn das tatsächlich passieren würde ...", Ole nahm die Spielidee auf.

„Dann müssten wir weitersehen. Du meinst, die besten Stoffe schreibt das Leben ..." Inga verstand es, das Spiel voranzutreiben,

„may be ... also, was schlägst du vor?", Ole behielt seine Nüchternheit.

Inga zeigte sich entschlossen: „Ich verlass jetzt erstmal diese Welt voller wirrer Geschichten, wahlweise am Strand oder im Kopf. Und fahre eine Woche in die Stadt. Dublin City, Kunst und Kultur und feines Essen ..."

„Mein Fisch war dir wohl nicht gut genug!" Inga wusste nicht, ob Ole sie ärgern wollte, gerade erneut mit ihr schäkerte oder wirklich pikiert war.

„Nee, der war furchtbar, ungenießbar eigentlich …", konterte sie.

Dann wurde sie ernst: „Ich war ein paar Tage krank und hatte Zeit: Ole, mir ist viel zu oft zu kalt und dann mach ich Mist. Entschuldige!"

Ole verstand und verstand nicht: „kalt – warm … wie meinst du das?"

„Ich gebe dir ein Beispiel. Ich hab hier die Yogastunden ausprobiert. In Killala, in dem alten Gebäude neben dem Turm. Ich wollte mir was Gutes tun, meiner Seele, meinem Körper …"

„Ja und?"

„Beim ersten Mal bin ich fast erfroren … Die Kälte des Raums hat alle Energie aus mir rausgezogen. So heftig, dass ich mit weißen Fingern und frostigen Füßen nach Hause gefahren bin. Dabei hatte ich eigentlich gehofft, dort Wärme zu finden. Das Gute war: Jetzt hatte ich endlich ein konkretes Bild. Denn so ist das auch mit dem Einsamsein hier. Das fühlte sich am Anfang auch sehr kalt an, manchmal sogar in meinem Herzen. Obwohl ich doch genau diesen Zustand gesucht hatte, um Energie zu tanken. Mir wurde plötzlich klar, dass ich ausgestiegen bin aus allem, um mich zu wärmen – aber mir ausgerechnet einen kalten Raum dafür ausgesucht hatte."

„Aha", es war Inga unklar, ob er irgendwas verstand, sie redete einfach weiter,

„weißt du, eigentlich liebe ich die Sonne. Die kann den ständigen Kampf mit übergroßen Schatten beleuchten, manche Schrecken minimieren und so viel Wärme und Kraft geben, dass es bewältigbar scheint, nicht auszuweichen."

Ole ging dazwischen, „Ich verstehe annähernd. Du bist konkret-unkonkret, Inga. Aber das ist wohl so. Und du selbst?"

Inga antwortete unbeirrt weiter in Bildern: „Ich bin zwar keine Schattenfrau, aber eine, die sich im Zwischen, zwischen Licht und Dunkel, zwischen warm und kalt eingerichtet hat. Mein Zwischen-Herz schlug oder schlägt vielleicht noch immer unregelmäßig, warm und kalt und lau."

Sie fuhr fort: „Weißt du, der Yogastunde dann eine zweite Chance zu geben, war die richtige Maßnahme, sehr sinnvoll. Danach fühlten sich meine Glieder geschmeidig und warm an. Etwas war in Fluss gekommen, trotz der nicht grade idealen Räumlichkeit. Wie Wasser, das erwärmt wird." Sie hielt inne, sprach assoziativ weiter, „vielleicht sollte ich schwimmen gehen. Nicht im Meer – das wäre zu kalt und zu gefährlich. Aber in einem Schwimmbad: sich kraftvoll bewegen und doch getragen werden, fließen und doch die Oberhand behalten ... Na ja, um wieder aufs Thema zu kommen: Das funktioniert schon mit dem Wärmen hier in der Einsamkeit, nur anders ..."

Ole suchte sich Bilder heraus: „Wo müsste das lau-
warme Herz denn schwimmen, um warm zu werden,
leidenschaftlich?"

„Ich denke weiter darüber nach Ole, keine Sorge!"
Und Inga dachte weiter: über ihre Angepasstheit, den
Rückzug und das ewige Verständnis, die unterdrückte
Wut und Trauer ... Ihre Freundin Natascha hatte ihr mal
gesagt, dass sie das alles an Inga ziemlich nerve. Natascha selbst verbrannte fast vor Hitze, stritt, kämpfte
und liebte kompromisslos. Rot. Gefährlich heiß, wie Inga
fand. Und hätte jetzt viel für ein Gespräch mit Natascha
gegeben.

Inga dachte an Karl und war sich sicher: Er vermochte
es, ihre Hände zu wärmen und hielt ihre kalten Füße aus.
Auch ihr mitunter kaltes Herz würde ihn immer noch
nicht abstoßen.

Inga war froh darüber, dass Ole ihre Denkpause ausgehalten hatte. Um das Schweigen jetzt zu durchbrechen, fing sie wieder an: „Hier hat jeder einen Kamin. Da
lernt man das doch: Die Restglut zu schüren, das braucht
Geduld und den festen Glauben an ein Feuer, das sich
überhaupt entfachen lässt. Glut muss man anheizen, ihr
Wind geben, sie unterstützen. Das lernt man, wenn man
hier ist, ganz schnell."

Ole nahm das Bild auf und entgegnete trocken: „Glut
ist in der Regel so heiß, dass man sich die Finger daran
verbrennen kann."

„Kann sein", Inga wollte darauf nicht eingehen.

„Den wärmenden Fluss nach der Yogastunde habe ich dann jedenfalls mit einer heißen Suppe verstärkt. Suppe ist wie geschenkte Gedanken, wie Worte, die mich erreichen, Briefe, Bücher, Nachrichten im Netz, was weiß ich ... einfach Dinge, die zusätzlich die Seele wärmen."

Nach einer weiteren Pause: „Mir wird plötzlich klar, dass es mich in die Wärme zieht, dass ich nicht im Zwischenzustand verharren will. Und irgend so eine merkwürdige Geschichte mit dir wäre wieder was im Zwischen, etwas Nebulöses, nur scheinbar Wärmendes ... Ich bin anfällig dafür. Aber das wärmt auf Dauer nicht. Verstehst du das, Ole?"

Er sagte nichts. Sie wusste nicht, ob er verstand oder nicht. Aber sie hatte sich selbst ein bisschen besser verstanden an diesem Tag.

Sie umarmte Ole und ging nach Hause.

„Was unterscheidet Misstrauen von Zweifel?", fragte sie später unvermittelt und schaute auf Sophie. „Und wo beginnt Liebe?"

„Oh Inga ...", Sophie hatte keine Lust auf solche Fragen,

„dich kenn ich jedenfalls nicht ohne Zweifel. Trotzdem scheinst du diesen Karl zu Hause ja zu lieben: Du schreibst ihm unentwegt, hoffst, dass er auf dich wartet, sagst ihm vermutlich ‚Gute Nacht', wenn du ins Bett gehst, willst nicht, dass dieser Ole dir näherkommt ... na ja, und Karl hält es doch offensichtlich auch aus, dass du hier mit uns dein Dasein fristest ohne ihn ... das würd doch keiner tun, außer ... na ja Liebe, das ist so ein Wort ... aber das riecht schon sehr danach."

„Weißt du Sophie", Inga ignorierte Sophies Unlust, „viele Anfänge sind leichter als Weiterführungen. Aber der Wiederholungscharakter ermüdet. In Sachen Vertrauen zu stagnieren, ist furchtbar."

Sophie unterbrach sie: „also weiterwachsen!" Sie grinste, „wem vertraust du denn? Nur dir selbst?"

Inga dachte nach: Blind zu vertrauen, ist dumm. Sehend zu vertrauen, braucht Intuition, Verstand, eine eigene Meinung und den Einsatz von Worten. Dazu wiederum braucht man Mut. „Ich bin dabei, es zu lernen, Sophie. Ich muss mehr reden, genauer reden. Auch mit Ole zum Beispiel."

„Spätzünder!", wagte die zu sagen und machte sich schnell davon.

Inga war es leid, sich mit der vorlauten Katze auseinanderzusetzen. Ihr fielen andere Frauen ein, Freundinnen, denen offenbar solche Fragen erspart blieben: Schöne selbstbewusste Frauen, denen die Sache mit der Liebe und dem Vertrauen leichter gelang.

„Schön, das ist ein Stichwort", dachte sie, „ich könnte zum Friseur gehen, mich frisieren lassen …, etwas aus mir machen."

Gleich am nächsten Tag fuhr sie in den nächsten Ort und fand sich unversehens in einem rotplüschigen Sessel in „Mandys Unique-Creation-Hair-Salon" wieder.

Mandy hatte ein rosagefärbtes Haarbüschel kunstvoll auf ihren Kopf drapiert und trank gerade eine Tasse Kaffee, als Inga den Laden betrat.

„Lovely", meinte sie, Ingas Haare seien absolut lovely: Sie wusch sie ausführlich und knetete inbrünstig Haare und Kopfhaut. Inga schloss die Augen und ließ sich verwöhnen.

Als Mandy sie nach dem Schnitt fragte, erwiderte Inga, sie habe das vollste Vertrauen in die Fachfrau. Die lachte und schnitt und föhnte ebenso leidenschaftlich, wie sie schon den Kopf massiert hatte. Inga schloss die Augen, träumte sich fort, ließ Bilder aufsteigen und weiterziehen.

„Some Styling Gel?" Mandy riss Inga aus ihrer Bilderwelt,

„no thank you!"

„And your husband?" Mandy war offensichtlich an ihrem Privatleben interessiert,

„is at home."

Inga erzählte, wie sehr sie sich freue, ihn wiederzusehen. Bald sei er in der Stadt, für ein paar Tage käme er. Sie sei eine Weile hier, er müsse schließlich arbeiten, ja, blöd sei das, und dann holte sie aus und genoss es, Mandy von Karls Vorzügen zu erzählen. „Eine Künstlerseele, die viel mitkriegt, geistreich, sehr fürsorglich, verlässlich und voller Überraschungen. Ein ganz besonderes Herz" habe er, näher brauchte Mandy das nicht zu wissen, aber Inga tat es gut, diese Worte zu formulieren.

„Lovely", war genau die richtige Antwort. Und Mandy gab sie.

Inga lud sich anschließend selbst ins Café an der Dorfstraße ein, mochte ihr neues Outfit und sich selbst in diesem Moment gern leiden und hätte viel dafür gegeben, jetzt Karls Gesellschaft, seine Nähe zu genießen.

Kartoffelbroccolimus

Sie würde zu spät nach Hause kommen. Die Strecke über die enge, nasse Straße zog sich hin. Inga mochte den kurvigen Weg durch die hügelige Moorlandschaft, entlang des Flusses, scharf abbiegend nach der altersweisen, gemauerten Brücke, weiter in eine große Weite hinein Richtung Küste.

Sie suchte sich für diese Fahrt in dem großen, schwarzen Leihwagen eine ihrer neuen Frisur gemäße Musik. Ein bisschen mondän und leicht, die trug sie fort, irgendwo. Dorthin, wo Menschen sich zerstreuten und amüsierten. Sie fuhr schnell, atmete den Geruch von Shampoo, Torfbriketts und Leihauto ein, sang mit, bis sie in die vertraute Searoad einbog und im Hof „ihres Cottages" parkte. James rannte aufgeregt um das Auto herum, Entengeschnatter stimmte sie auf das abendliche Eintreiberitual ein, und Sophie schaute sie von oben nach unten an, hatte ihre Schnauze dabei fest gespitzt,

„wir warten alle schon",

„Aha – jetzt bin ich ja da. Eigentlich bin ich jetzt viel zu schön, um hinter Enten herzurennen", Inga streckte ihren Kopf nach oben.

„Was ist denn mit dir passiert?" Sophies Schnauze stand nun offen, „wir sind regelmäßiges Versorgtwerden gewohnt, und es ist ziemlich blöd zu warten!"

„Meine liebe Sophie, ich bin nicht mal eine Stunde später als sonst, und Erwartungen sind das eine, deren

Erfüllung das andere. Warten ist blöd, das find ich auch."

Sophie konterte, „so viel gute Laune ist man von dir gar nicht gewohnt."

„Na Erwartungen zu durchbrechen, meine Liebe, ist Voraussetzung dafür, sich überraschen zu lassen."

„Solche Weisheiten von sich zu geben ist eigentlich mein Part. Und jetzt bitte schnell: Futter für alle!" Sophies vorwurfsvoller Ton stachelte Inga an, „In der Ruhe liegt die Kraft, und eine alte Frau ist kein D-Zug, Sophie-lein. Was hältst du von meinem neuen Schnitt?" Sie zeigte auf ihren Kopf.

Statt von hungrigen Tieren wäre es jetzt, fand Inga, angemessener, von freundlichen Menschen erwartet zu werden, Nettigkeiten zu hören und gemeinsam einen lustvoll-sinnlich anregenden Abend zu erleben. Sie könnte sich zu der neuen Frisur noch ein ausgefallenes Kleidungsstück kaufen, rot vielleicht und schmeichelnd, oder ein Schmuckstück, etwas Greifbares, um gewappnet zu sein. In Erwartung der Dinge die da kommen würden.

Sophie unterbrach Ingas Gedankenkette: „der Haarschnitt passt vorzüglich zu den schwarzstinkigen Schlammgummistiefeln!"

„Danke Sophie, sehr liebenswert", Inga schlüpfte in die Stiefel. Das mühselige Enteneintreiben war ihrem neuen Erscheinungsbild wirklich nicht gemäß. Warum sah das keiner? Warum schienen die Enten heute besonders unleidlich, Sophie besonders frech und James an nichts anderem als seinem Fressen interessiert?

„Irgendwann mache ich aus euch allen Entenbrustfilets und Entenpastete und Entenkeule ...", rief sie über die Wiese, eine der Entendamen würde die Warnung vielleicht verstehen, schnurstracks in den Stall watscheln und die anderen nach sich ziehen.

„Zu einem Festessen könnte mich ja auch mal jemand einladen", dachte sie, während die Entendamen unentschlossen vor ihrem Stall saßen – „ihr erwartet wohl auch was ganz Besonderes heute, sonst geht ihr nicht da rein ...", Inga seufzte, „versteh ich ja: Frauen-Erwartungen! Trotzdem nervt ihr mich!"

Inga setzte ihrem wachsenden Unmut kulinarische Träumereien entgegen: „Turkey und Plumpudding", sie war bei Jolie und Dave zum Christmasdinner eingeladen gewesen, jetzt hatte sie den Dampf des Geflügelbratens quasi in der Nase, die Szenerie vor ihren Augen, die sie kurz schloss, um sich genauer zu erinnern: Der legendäre Plumpudding fiel ihr ein, von dem sie sich wer weiß was erwartet hatte. Aber die blutwurstschwarze, glibberig-glatte, relativ feste Halbkugel unklarer Konsistenz war dann eher ein Erwartungskiller, etwas, das man einfach nur hinter sich bringen musste.

Inga öffnete die Augen wieder, die Enten standen noch immer unschlüssig rum, starr. Inga verstand das als Einladung, weiter zu träumen, von dem überraschend feinen Entrée zum Beispiel: Sie sah gelbsamtige, nach

Sommersüße duftende Honigmelonenscheiben auf gold-
gerandetem Porzellanbeige, fein geschliffene Gläser, gefüllt mit Wein, der im Kerzenschein in unterschiedlichsten Varianten rubinrot funkelte. Sie roch die fein passierte Lauchsuppe, herrlich gewürzt mit Muskat und
Majoran, ein Geruch, der in diese ländliche Umgebung
passte und sie zugleich verfeinerte.

Inga bewegte sich in Richtung der regungslosen Enten, „Oh verflixt, wie lange soll ich noch warten ...“ Inga
spürte mittlerweile nicht nur Appetit, sondern regelrech-
ten Hunger. Sie tröstete sich mit weiteren kulinarischen
Bildern, erinnerte sich noch einmal an das Weihnachts-
essen: Bis der mit Broccolimus gefüllte Truthahn kunst-
fertig tranchiert worden war, hatte sie Zeit gehabt, den
Blick über die Tafel gleiten zu lassen, weitere Schlucke
Wein zu verkosten und dabei zu erzählen, zu lächeln, zu
genießen. Jolie hatte die Truthahnscheiben auf dampfen-
dem Rosenkohl, Roasted Potatos, Möhren und knusp-
rige Schinkenscheiben gebettet, das alles kunstvoll auf
die Goldrandteller drapiert und mit einem Hauch Sauce
übergossen.

Ingas Magen knurrte. Sie überlegte sich Sätze für eine
Gourmetzeitschrift: „Der Geschmack der Truthahnscheiben wird von dem kräftigen Gemüse umspielt, liegt
weich im Gaumen, dank des Kartoffelbroccolimus‘ und
kann nach Belieben mit dunkelroter Preiselbeersauce va-
riiert werden ...“ Vielleicht wartete man in irgendeiner
Redaktion nur auf ihre Formulierungen: „Lange ausgie-
biges Kauen erhöht den Genuss, der Wein dazu

schmeckt nach schwerer Erde, Sonne und vollreifen Beeren; er entfaltet sich im Gaumen mit jedem Schluck mehr, weitet die bereits geöffneten Sinne."

Inga formulierte vor sich hin, hielt dabei die Arme ausgebreitet, um den Enten den Weg in ihren Stall zu signalisieren und sah sich bereits in der Redaktion einer renommierten Gastronomiezeitschrift im Büro sitzen, lässige Designermode an, eine kluge Brille auf der Nase ... Sie formulierte weiter: „Nachtisch eins wird in einer Bonboniere aus dem 19. Jahrhundert serviert: eine dreilagige Köstlichkeit aus Beeren, Flan und einer weiteren Süßspeise. Ein Augenschmaus, dieser süße Abgang, bevor der schwarze Plumpudding das endgültige Ende des Christmasmeals kennzeichnet, dem eine zweite und dritte Tasse Tee oder wahlweiße ein 'Hot Whiskey' folgen mag."

„Spinnst du jetzt vollständig?" Sophie hatte ihren Napf geleert und war neugierig raus auf die Wiese gekommen.

„Und wenn schon: Hol James und helft mir dabei, die Herrschaften hier in ihren Verschlag zu bringen. Bitte!"

„Eigentlich hast du unsere Hilfe nicht verdient", maulte James und stupste die Enten Richtung Stall.

„Aha, verdient hat man deine Hilfe also nur, wenn man tut, was du erwartest?"

„Du hättest wenigstens was Nettes zu uns sagen können, wo wir schon so lange warten mussten", Sophie versuchte sich vermittelnd einzumischen.

„Ja ihr Lieben, das verstehe ich … Okay, das nächste Mal ruf ich an, wenns später wird!" Inga sprühte vor neuerlichem Übermut, als sie die Enten endlich mit vereinten Kräften an ihren Zielort bewegt hatten.

Da nichts auf den Beginn eines geselligen, festlichen oder gar ausgelassenen Abends hindeutete, versank sie in weiteren Wortspielereien:

„Er-Wartungen" – „Sie-Wartungen": Warten Männer anders als Frauen? Erwarten Männer etwas anderes als Frauen und wenn ja: Wie oder was ist anders?

Ihr fielen die eigenen Enttäuschungen ein: Oft, wenn sie sich Bilder von etwas gemacht, sich vorgestellt hatte, wie ein Sonntag, ein bestimmter Abend, eine verheißungsvolle Verabredung aussehen sollte, hatte das Leben sie eines Besseren belehrt, „etwas war dazwischengekommen", es war irgendwie anders, als sie es sich vorgestellt hatte. Es kam so oft „irgendwie anders". Und sie war immer ganz großartig in ihren nicht gelingenden Versuchen, das Anderssein hinzunehmen, ihre Enttäuschung zu verdrängen.

„Frauen meinen, die Erfüllung ihrer Wünsche würde ihnen zustehen. So unausgesprochen diese Wünsche auch sein mögen, man solle sie ihnen gefälligst von den Lippen ablesen. Ein Mann dagegen ist ein Wort, ist Gesetz und erübrigt alles weitere Wünschen. Mann erwartet, dass Dinge, die einmal gesagt wurden, auch gelten. Wiederkehrende, emotionale Überprüfungen solcher Gültigkeiten sind ihm fremd, möglicherweise stoßen sie ihn sogar ab."

Inga hatte bei ihrem Versuch zu generalisieren nicht gemerkt, dass sie mal wieder laut geredet hatte,

„na ja, wenn ich an unser Futter von heute denke: Das Warten fiel James und mir gleich schwer. Ich weiß nicht ... er und sie ... Hm?", Sophie mischte sich natürlich ein.

„Warten ist beschissen, das stimmt, meistens jedenfalls ... manchmal auch schön und prickelnd ..."

„Erwarten ist was anders", ergänzte Sophie.

Inga stand auf und gestikulierte wie eine Schauspielerin, fordernd, eckig und präzise: „Ich erwarte, dass du eine ordentliche Katze bist, sonst kriegst du kein Futter! Ich erwarte, dass du mit deinen frechen Bemerkungen aufhörst, die gehören sich nicht! Und ich hoffe, du weißt, was ich sonst noch alles von dir erwarte!" Ingas ernste Strenge bewirkte, dass Sophie reflexartig den Schwaz hochstellte, ihre Haare sträubten sich: „grauenvoll", miaute sie.

„Ach, meine Liebe", Inga nahm sie auf den Schoß, in ihren Übermut hatte sich Traurigkeit gemischt, ein paar Tränen tropften auf Sophies Fell,

„ich hab dich lieb, Sophie. Und James auch. Und meine Handvoll Freundinnen und Freunde" – sie dachte an Natascha, an Benjamin, was würden die wohl grade machen? Und Karl, und „meine neue Frisur und ‚mein Auto' und die Wörter und das Meer und den Wind und das Leben ..."

Sophie schaute verwirrt, „du spinnst völlig!"

„Egal Sophie, egal – besser spinnen als Erwartungen erfüllen. Spinnen birgt Überraschungen und macht groß. Erwartungen zu erfüllen, produziert mit Sicherheit Langeweile oder Enttäuschung oder beides. Und es macht klein."

„Jawohl ja, schöne Frau" Sophie schnurrte, „wir dich auch ... James und ich hätten jetzt aber wirklich einen Überraschungskeks verdient."

Inga seufzte, öffnete die Dose mit den Leckerlis für die Tiere, stellte sich Musik an und tanzte eine Weile durch die Küche.

Home is another place

Inga ging jetzt immer so am Strand spazieren, dass sie Owen nicht begegnete; zudem vermied sie es, Ole zu treffen.

„Ich fahr ein paar Tage weg", verkündete sie den Tieren. „Weg aus dieser kleinen Welt, ich brauche andere Luft. Ich frage die Nachbarin ein paar Häuser weiter, Jane, glaube ich, heißt sie, ob sie euch versorgt. Einverstanden!?"

„Nein!" Beide Tiere waren sich einig.

„Wir müssen jetzt darunter leiden, dass du irgendwelche merkwürdigen Begegnungen hier hattest. Nachbarin, Nachbarin ... das ist doch völlig anders, die gibt uns bestenfalls Fressen, aber ein Tier lebt doch nicht allein vom Fressen, nicht wahr James?"

Der bellte nur: „jetzt zum Beispiel solltest du statt nachzudenken mit mir spazieren gehen", hieß das.

Inga ließ die beiden schimpfen. Sie schlug die Straßenkarte auf, suchte Busverbindungen, sah sich Städtebeschreibungen an. Sie träumte sich anders, würde sich vielleicht neue Kleidung kaufen, Ausstellungen besuchen, in Cafés und Restaurants sitzen, ein Konzert besuchen, Menschen beobachten ...

„Sophie, die Nachbarin aus dem Haus ganz vorne in der Searoad, Jane, ist durchaus nett, und ich lebe bestimmt nicht allein vom Kochen, Essen und Euch-Versorgen ..."

„Aha, wir sind dir also nicht gut genug? Du meinst, etwas Besseres zu sein? Und wenn du dann niemanden mehr hast, sprichst du eben zu uns. Gut zu wissen!" Sophie schaute herausfordernd, beinah gefährlich,

„be yourself; everyone else is already taken", zischte sie und ergänzte, „glaub bloß nicht, dass mir nicht klar ist, dass das ein Oscar-Wilde-Zitat ist. Ich bin nämlich auch nicht blöd, wie du offensichtlich denkst und deshalb meinst, wie eine Bildungsbürgertouristin in die Stadt fahren zu müssen."

„Respekt Sophie, Respekt" Inga hörte nur mit halbem Ohr zu, so sehr war sie mit ihren Reiseplänen beschäftigt.

„Ich lass mich auf jeden Fall nicht von jeder Dahergelaufenen füttern", knurrte James, „im Notfall finde ich selbst was zu fressen. Ein bisschen wildern kann ja auch Spaß machen."

„Spinnt ihr jetzt?", Inga unterbrach ihre Recherche, „es geht nur um ein paar Tage – klar?!"

„Und dann findest du Gefallen an was auch immer, und es sind plötzlich ein paar mehr Tage, Wochen, Monate. Oder du kommst erst gar nicht wieder ..."

„Oh, die Herrschaften haben Angst?" In Ingas Belustigung mischte sich Zorn. „Ich mach, was ich will, ja? Hab ich euch bislang vernachlässigt?"

„Nein, aber das ist ja gerade. Du bist auf dem Weg genau das zu tun! Deinen Karl zu Hause vernachlässigst du ja auch und jetzt uns. Das kann nicht gutgehen! Jetzt bist du einmal hier und hast die Chance, es anders als zu

Hause zu machen, da willst du abhauen und uns allein lassen. Wer wird das Feuer anzünden? Wer wird ab und zu singen? Wer wird uns nach unserer Meinung fragen? Sind wir so beliebig für dich?!"

Im Garten schnatterten die Enten so, als würden sie jedes Wort verstehen und ihren Beitrag dazu geben: „Du bleibst hier. Hier gehörst du her, was willst du eigentlich sonst? Du musst uns füttern und sauber halten, bleib gefälligst hier!"

Inga hielt sich die Ohren zu.

Auf der Fensterbank saß ein Rotkehlchen. „Ich fliege ein bisschen", flüsterte Inga ihm zu, „so wie du!"

Sie hatte keine Lust mehr, sich mit ihren beiden Haustieren auseinanderzusetzen. Es reichte ihr. Welches Recht hatten eine Katze und ein Hund, in ihr Leben hinein zu regieren? Was ließ sie sich hier eigentlich gefallen? Ja, Sophie hatte Recht, wenn sie Wilde zitierte, sie würde jetzt sie selbst sein und niemand anders, und sie hatte ein paar Ideen im Kopf, und das Gejammer der Tiere würde sie nicht davon abhalten, weiter darüber nachzudenken. Sie nahm den Plan auf, der sie schon eine ganze Zeit begleitete: Dublin-City, etwas Kultur, ein bisschen Kunst, essen gehen. Sie würde den Bus nehmen, in etwa vier Stunden dort sein und die Tiere Tiere sein lassen.

Sophie und James sprachen in den nächsten Stunden kein Wort mehr mit ihr, nur am Abend versuchte Sophie, Inga dadurch milde zu stimmen, dass sie ihr eine dicke Maus vor die Tür legte.

„Oh Sophie", Inga verzog angewidert das Gesicht, „ich bin halt doch mit ganz anderen Geschenken zu beeindrucken, als du dir das so denkst."

„Bis jetzt seh' ich nicht, dass irgendwer dir wirklich recht ist", konterte Sophie und versank dann wieder in wortloses Beleidigtsein.

Inga ließ das Lamento der Tiere an sich abprallen. Sie regelte mit der Nachbarin die Versorgung der Tiere, legte die Abfahrt auf den übernächsten Tag fest und begann, eine Tasche zu packen: etwas von dem besonderen Shampoo, bislang wenig getragene, saubere Kleidung, Stiefel und einen Lippenstift – sie fühlte sich halbwegs ausgestattet für einen Besuch in der Stadt.

Die Ignoranz der Tiere erwiderte sie mit größtmöglicher Sprödigkeit, obgleich ihr dadurch die zwei verbleibenden Tage kälter und schwerer vorkamen als die ganze Zeit zuvor.

Sie spazierte an Oles Haus vorbei und klopfte. Der öffnete die Tür, als habe er sie erwartet.

„Ole, ich bin ein paar Tage weg. Ich brauch Stadtluft, einen Wechsel. James und Sophie schmollen, das fühlt sich miserabel an und bei dir hab ich mich auch nicht mehr gemeldet. Aber wie gesagt, jetzt bin ich erstmal weg."

„Noch einen Kaffee, Inga?", Ole war schon dabei, Wasser aufzusetzen und Inga spürte, dass ihr das guttat.

„Ich mag dich, Inga", Ole lachte sie an, „natürlich war ich erst ganz schön sauer oder traurig oder beides ... Ich würde gern weiter mit dir Kaffee trinken und reden. Und diese ganze schwedische Kiste lässt mich auch nicht mehr los. Aber fahr erstmal in die Stadt. Wer weiß, was du mitbringst. Meldest du dich danach wieder?"

Inga nickte. Sie trank den Kaffee hastig. „Ciao, Ole. Ich werde mir ein paar Bilder anschauen und mal sehen, was mir sonst noch begegnet. Danke!"

Sie weinte, als sie ging, wischte sich aber die Tränen sofort ab. Sophies Kommentar dazu würde sie jetzt nicht ertragen.

Der Bus nach Dublin fuhr sehr früh ab. Drinnen war es kühl und roch nach Essigchips und Kaugummi, Leute redeten, schliefen, aus Kopfhörern drang Musik. Der anbrechende Tag schrieb zuerst rotorange Zeilen und malte dann hellrosa Wölkchen an den Noch-Nachthimmel, bevor er sein hellblaugraues Gewand anlegte und außerhalb des Busses allerlei Geschäftigkeit begann, Menschen ein- und ausstiegen, den Busfahrer begrüßten und ein paar Worte über den milden Winter verlauten ließen. Inga lehnte am Fenster, hielt die Augen abwechselnd geschlossen und offen, ließ die Bilder an sich vorüberziehen. Äußeres und Inneres, Vergangenes und Gegenwärtiges mischten sich zu einem wilden Potpourri.

Karl könnte sie jetzt abholen. Auf einer Brücke am Liffey würde er stehen und sie würde seine Hand halten und dann würden die Bilder sich ordnen und nebeneinanderstehen, ohne bedrohlich zu sein. Sie würden zusammen durch die Straßen laufen und es würde sich warm anfühlen und richtig.

Als der Bus in einer belebten Straße hielt, wischte sie diese Träumerei nur widerwillig weg. „Stadtmenschen" dachte Inga. Sophie und James kamen ihr in den Sinn: Ob sie wohl weiter schmollen würden, der Nachbarin Jane das Leben schwermachten? Mit etwas zu fressen würden sie sich leicht befrieden lassen, auch, wenn Sophie vielleicht Recht hatte, „gutgehen war mehr als regelmäßig den Napf gefüllt zu bekommen." Es ist jetzt nicht an der Zeit, über die Bedürfnisse der Tiere nachzudenken, beschloss Inga und schaute auf den Stadtplan.

Zu dem kleinen Hotel, das sie gebucht hatte, fand sie auf Umwegen. Ihr Zimmer – Nummer 222 – roch nach blumigem Parfüm und Putzmittel, kleine Seifenstücke und Shampootütchen lagen neben einer Badewanne bereit; in die würde sie später eintauchen, zunächst aber in diese Stadt: mit Haut und Haar. Sie kämmte sich. Es würde auch ohne Karl gehen, obwohl die Gedanken an ihn hier so viel dichter waren als im Cottage an der Küste.

Unweit des Hotels befand sich das Writer Museum, „be yourself, everybody else is already taken" hatte Sophie gesagt und Oscar Wilde zitiert. Inga betrat die prachtvollen Räumlichkeiten. „Gar nicht so einfach, man selbst zu sein", dachte sie, während sie in den säulengetragenen Räumlichkeiten unter stuckgeschmückten Decken von Vitrine zu Vitrine lief und sich wahlweise mit Thomas Moore, Bernard Shaw, Jonathan Swift, James

Joyce, Samuel Beckett oder eben Oscar Wilde beschäftigte. Wer ist man selbst? Was denkt man, wer man selbst ist und was denken andere über einen? Wieviel Phantasieprodukt ist das eigenen Selbst und wieviel Wirklichkeit?

Inga hielt sich an ihrem Audioguide fest, während sie vor Bram Stokers Dracula stand und sich gleich darauf auf die unerhörten Liebesgedichte von William Butler Yeats an Maude Gonne einließ. Geduldete und verbannte Schriftsteller, solche die provozierten und solche, die träumten, wohlhabende neben finanziell lebenslang abhängigen Schreibern waren dort aufgereiht und luden dazu ein, Zeit und Raum zu verlassen und in Gedanken zu schwelgen.

Draußen regnete es. Inga gönnte sich tea und scones in einem der weit ausladenden Cafés in der großen O'Connellstreet und wieder wäre es nur zu selbstverständlich, hier mit Karl zu sitzen und ein bisschen weiter zu schwelgen oder mit ihm darüber zu lachen, dass die Stadtscones teuer, dafür aber hart waren und langweilig schmeckten.

Karl würde jetzt eins der großen Kunstmuseen anschauen, und Inga war, als würde er ihr genau das vorschlagen: „In der City Gallery kann man das Atelier von Francis Bacon sehen" – war das ihre oder Karls Idee gewesen? Sie zahlte und machte sich auf den Weg.

In den offenen, miteinander verbundenen, hellen, weiten Räumen über dem getäfelten Boden verlor sich ihr Blick und blieb dann immer wieder erst im Raum, dann abwechselnd an jedem einzelnen Bild hängen. Sie sah sich satt, seufzte, lachte oder ging weiter, je nachdem, wie ein Bild zu ihr sprach. Und blieb dann vor dem Atelieraufbau Bacons stehen, „Karl, das würdest du sehen wollen. Es würde dich faszinieren. Du würdest dich identifizieren, das regt an, ist voll Kraft, Karl …", Inga verlor sich darin, das Chaos aus Farbklecksen, Flecken, Dosen, Splittern, Pinseln, Lappen anzuschauen, bis sie meinte, Terpentin und Farbe zu riechen.

Inga verließ das Museum, sie wollte noch mehr sehen, noch anderes und war gleichzeitig schon satt. Sie suchte sich eine Route, auf der sie an einer Fotogalerie, einem historischen Museum und einer Ausstellung vorbeikam. „Home is another place" stand da irgendwo auf einem Plakat und Inga nickte. Sie hatte Heimweh, „home is another place", flüsterte sie und hoffte, Karl würde es hören und schon irgendwie verstehen. Sie nahm einen Bus zum Hotel.

In der großen, rosafarbenen Badewanne tauchte Inga alle Bilder in süßlich riechenden Schaum, sie verwischten warm und dampfend. Dann stand sie nackt und etwas verwirrt in wohlig weiße Tücher gewickelt im Zimmer und spürte, dass ihr Magen knurrte. Da Karl sich immer noch nicht zu ihr gesellt hatte, beschloss sie, allein ein Restaurant aufzusuchen und etwas zu bestellen: Fisch und feines Gemüse und Wein oder irgendeine Empfehlung des Hauses.

Es fühlte sich merkwürdig mühsam an, sich anzuziehen und einen geeigneten Ort zu finden. Nebenan war ein kleiner Imbiss, es wäre einfacher, dort eine Tüte „Fish and Chips" zu bestellen. Karl wiederum würde mit ihr ausgehen wollen. Und sie selbst? „Inga, meine Liebe", sie sprach mit sich, „es wird ein Restaurant. Blick auf den Liffey, irgendwo, wo viele Menschen sind. Und dann mal schauen, was kommt."

„Wish you where here", schrieb sie Karl in Gedanken und machte sich auf den Weg.

Das Lokal wurde als gastronomisch interessantes Szene-Lokal angepriesen, zu „The Winding Stair" führte zwar keine Wendel- aber immerhin eine steile Treppe nach oben, wo in einem kleinen, gemütlichen Raum Menschen saßen und aßen, Wein tranken, miteinander sprachen. Es roch nach Fisch, Knoblauch und Gebratenem und es war wie ein Tanz, eine Art Wohlfühltaumel, sich dem Chefbediensteten auf dem Weg zu dem für sie vorgesehenen Platz zu überlassen. Ob es ihr etwas ausmache, wenn gegebenenfalls noch jemand an ihren Tisch käme? „That' s okay, no problem", Inga fühlte sich grade mit sich und der Welt einverstanden, als ihr Blick an einem der Plätze gegenüber hängenblieb: „dieser Mann ... wer war dieser Mann?" Der Kellner reichte ihr die Karte, sie bestellte spanischen Weißwein und überlegte, ob sie mussels and cockels with garlic bread oder monkfishtail with artichokpuree wählen sollte, überließ dem Kellner die Auswahl, es wurden die Meeresfrüchte.

Zunächst kam niemand mehr an ihren Platz, und so schaute Inga abwechselnd auf die belebte Straße entlang des Liffey und auf den Platz mit dem Mann, der ihr so bekannt vorkam. Er erzählte etwas, seine Begleiterin hörte interessiert zu, beide wirkten, als seien sie Teil des

Interieurs oder würden wenigstens jeden Abend hier essen und erzählen. Schon wieder dachte Inga an Karl. Warum saß er ihr nicht gegenüber?

In dem Moment, als ihr etwas Brown Bread und Salted Butter gebracht wurde, fiel es ihr ein: der Taxifahrer, Gabis Foto, Brian, Liam Cunningham. Der musste das sein; Inga hatte ihn nach dem Vorfall mit Gabi mehrfach auf Internetseiten aufgerufen. Sollte sie ihn ansprechen? „Mr Cunnigham, nice to meet you" oder „Somebody has mistaken you with a taxidriver – isn't it strange?" Oder vielleicht war der Kerl ja ein Taxifahrer, der diesem Liam nur unglaublich ähnlich sah. Gabi fiel ihr wieder ein, wie fürchterlich verwirrt und durcheinander war die gewesen, etwas war ver-rückt und nun saß sie selbst hier und starrte diesen Mann an. Sie trank einen großen Schluck Wein und konnte Gabi verstehen, dass sie sich von diesem Mann angezogen fühlte. Die Frau an seinem Tisch lachte laut, als gäbe sie sich Mühe, aufzufallen. Vielleicht auch eine dieser Damen, die kostenfrei herumgefahren wurden. „So ne Tour durch Dublin in seiner Gesellschaft würde mir auch gefallen", dachte Inga, und es schien plötzlich plausibel, dass er doch Taxifahrer war.

Als der Kellner eine Frau an ihren Tisch führte, war Inga zuerst irritiert, dann froh um die Ablenkung.

„Carena", stellte sie sich vor, ein Duft nach blumiger Vanille zog über den Tisch. Sie orderte Beef und Wein, ohne weiter auf die Karte zu schauen und sagte, dass sie müde sei. Ein Kongress liege hinter ihr, sie habe mit einem ihrer ehemaligen Schüler diskutieren müssen, von dessen abwegiger Theorie sie keinesfalls überzeugt sei.

Es sei schade, dass er so gegen sie opponiere, eigentlich sei er ein guter Kerl, aber nun tue er alles, um sie vor den Kollegen schlechtzumachen.

Inga begann, ihre Muscheln zu öffnen und abwechselnd mit dem in Soße getunkten Brot zu essen. Carenas Redseligkeit half ihr, sich von Gedanken an Owen abzulenken, die beim Muschelessen zwangsläufig kamen. Als Historikerin war Carena mit vorkeltischen Kulturen und hobbymäßig mit Ägyptologie befasst.

Ob sie den Mann am Nachbartisch kenne, fragte Inga möglichst beiläufig, „no", Carena war sich offenbar sicher, und dann überlegte sie, „vielleicht doch, ein markantes Gesicht, vielleicht schon mal im Zug, Bus oder Taxi begegnet. I'm not sure." Inga war sich auch nicht mehr sicher. Vielleicht war an Gabis Geschichte ja doch mehr dran gewesen, und es war nicht der Schauspieler. Müsste Carena Liam Cunningham kennen?

Die war jetzt schweigend in ihr Abendessen vertieft, tupfte sich ab und zu sorgfältig die Mundwinkel ab und stieß einen kleinen Seufzer aus, „ich hatte so einen Hunger!" Kaum hatte sie ihre Mahlzeit beendet, stand sie auch schon wieder auf, „nice to meet you". Dann war sie verschwunden.

Um welche Theorie es gegangen war, ob die Geschichte und vielleicht auch ihre Berufswahl einen persönlichen Hintergrund hatten, hätte Inga noch interessiert und auch, zu wieviel Prozent Carena sich auf Fakten und Analysen stütze bei der Herleitung ihrer Theorien und zu wieviel Prozent sie ihre Phantasie bräuchte, um Hypothesen und Gegenhypothesen zu entwickeln.

Carena hatte sie mit diesen Fragen allein gelassen, Karl war irgendwo in Berlin, München, Frankfurt oder Köln unterwegs. Sie hatte keine Lust, schon ins Hotel zu gehen, bestellte also ein zweites Glas Wein und überließ sich ihren Gedanken.

Inga sah, wie der Taxifahrer, oder war es doch Liam, zahlte und wie er der auffällig lachenden Frau – sie trug ein geblümtes Kleid und dunklen Lippenstift – in den weichen Mantel half.

Wer war der Mann? Auch diese Frage würde Inga heute nicht mehr klären.

Unten auf der Straße begann ein Musiker zu singen, einige Menschen blieben stehen, viele gingen weiter. „Molly Melone" und „The irish rover" hatte sie an diesem Tag schon mehrfach gehört, welche Plätze oder Lokalitäten sie auch passiert hatte.

Inga trank den Wein hastig, dann zahlte sie.

Sie schlenderte die O'Connelstreet zurück, fand sich wie zufällig in einer Lounge mit roten Ledersesseln unter Jugendstillampen wieder und bestellte zum Abschluss des Abends einen doppelten Espresso.

Sophie würde jetzt zufrieden in der Ecke liegen und James auf dem Sessel leise schnarchen. Deren Wirklichkeit war eine andere. Und die von Gabi eine andere als die von Carena. Und ihre eigene schien gerade auseinanderzubrechen, „be yourself, everyone else is already taken", sagte das Wilde oder Sophie oder Karl oder sie sich selbst? „2,80 please", hörte sie den Kellner sagen. Sie zahlte und ging langsam ins Hotel. Das Bett war groß und frisch bezogen. Sie schlief sofort ein, träumte davon, einen Berg zu besteigen. Es war kalt. Es war ein weiter Weg und eine öde, weite Landschaft. Sie fror. Karl wärmte ihre Hände. Sie hatte auch kalte Füße. Der Ausblick war großartig: Formen und Farben wechselten minütlich. Sonne-Wolken-Bilder in unglaublichen Variationen, die hingen in Galerien, Menschen gingen dran vorbei und staunten.

Es regnete, als sie aufwachte. Aus dem Fenster sah sie Menschen wie getrieben laufen. Irgendwohin. Die meisten hatten wohl ein Ziel – und zwar nicht allein das, möglichst gut allen vorbeifahrenden, pfützenzerspritzenden Autos und Bussen auszuweichen.

„Nehme ich Toast und Rührei oder Brötchen und Cheddarcheese oder scones und Orangemarmelade?" Inga fühlte sich bereits bei der Auswahl ihres Frühstücks überfordert. Mit Sophie würde sie jetzt über die Freiheit wählen zu können diskutieren und James würde ihr vorschlagen, mal ein anderes Futter zu kaufen. Wie vertraut ihr die beiden geworden waren.

„Das Angenehmste an diesem Frühstück ist es, bedient zu werden, und gefragt, ‚would you like to have more coffee'?" „Yes please", sie lächelte die junge Frau im Servierschürzchen an, „yes please!" – „Yes ich möchte umsorgt sein – please!"

174

„Und beschützt – auch vor diesem Regennass!" Es fiel
ihr leicht, sich für eine der touristischen Bustouren zu
entscheiden, die sie von einer Sehenswürdigkeit zur anderen befördern würde. Der Fahrer lieferte die wichtigs-
ten Informationen, sie brauchte nur zuzuhören und aus
dem Fenster zu schauen und Trinity College, St. Patricks
Cathedral, Stephens Green, oder die Guinness Brewery
an sich vorbeiziehen zu lassen.

Sie versuchte herauszufinden, wie sie auf die Konfrontation mit der Stadt, den Gebäuden, der Geschichte
reagierte. War es Gleichgültigkeit? Langeweile? Desinte-
resse? Eine Anstrengung im Kopf, die Dinge zuzuord-
nen?

Sie betrachtete die mitfahrenden Touristen: Vor ihr
schmuste ein junges Paar. Es hatte offensichtlich den Bus
einem Café oder unwirtlichen Hostel vorgezogen. Eine
Gruppe jüngerer, bierbäuchiger Männer in engen T-
Shirts hatte sich einen Vorrat an Guinnessdosen mitgebracht, deutlich erheitert, ergänzten sie auf ihre Weise
die Ausführungen des Fahrers. Ein ernstes Paar mittleren Alters saß ordentlich gekleidet im Bus, die Frau ver-
folgte auf einer Stadtkarte die Tour, der Mann bastelte an
seiner Kamera herum. Inga seufzte: „Was interessiert
mich wirklich?"

Sie stieg aus, um sich auf das „Little Museum of Dublin" einzulassen. Dass der Name sympathisch klang und
„little" Schutz vor Überforderung verhieß, half allerdings nicht: Die Leidenschaft der Frau, die dort eine Füh-
rung gab, steckte sie nicht an, Bilder, Anekdoten, Gegenstände ließen keine Geschichten in ihr entstehen. Inga

verließ das Museum, der Regen hatte etwas nachgelassen.

Sie setzte sich in ein Café, es war lieblos dort, so als erwarte man von ihr, dass sie schnell wieder aufstehen und anderen Gästen Platz machen würde. Welche Begegnungen waren nachhaltig, welche flüchtig?

Inga dachte über die Begegnungen an der Küste nach: wenig Menschen, wenig event, noch weniger Bilder, Töne, Worte: Wirkt wenig stärker als viel? Oder anders? Ist weniger wirklich wenig?

„Another cup of tea?" Jemand wischte den Tisch ab. „No thank you", Inga verließ das Lokal, sie fühlte sich vertrieben, „home is another place", hatte sie gelesen, wo war das noch mal? Sie hatte das Bedürfnis nach Wiederholung, und weil es auf dem Weg lag, ging sie noch einmal in die Galerie, in der Bacons Atelier aufgebaut war. Inga sehnte sich danach, lange vor diesem Ort zu sitzen, Zerrissenheit, Chaos, Lebendigkeit zuzulassen, zu weinen und dann vielleicht zu schlafen. Sie fegte diesen Wunsch beiseite, stand schnell wieder auf, schaute etwas verhuscht noch ein paar andere Bilder an, informierte sich dann über Abfahrtzeit und –ort ihres Busses zurück, setzte sich in ein weiteres Café und blätterte lustlos eine Stadtillustrierte durch. Wärmte ihre Seele in dem Dunst von Menschen, Rührei, Kaffee und Gebäck. Studenten diskutierten, jemand schrieb etwas in seinen Laptop, Freundinnen frühstückten und ein asiatisch aussehender Mann ließ sich an der Theke die unterschiedlichen Breakfastvariationen erklären.

„Home is another place", der Satz hatte sich ihr eingegraben. Sie würde zurückfahren zu James und Sophie, vielleicht Ole erzählen, dass sie sich nicht mehr sicher sei, ob Gabi wirklich verrückt war, oder ob es ihre verwegene Taxifahrt nicht wirklich doch gegeben hatte. Sie würde Ole ab und zu besuchen. Es galt noch herauszufinden, was das war, was sie dort sein ließ, da in dem Cottage an der Küste – „home"? Sie würde Karl schreiben, dass es ihr so vorkomme, als sei er mit ihr in der Stadt gewesen, dass sie ihn vermisse, weil: „home is another place" – weder Küste noch Stadt, aber Geschichte und Geschichten und Träume und Konfrontationen und das beladene, langsame Vorwärtsgehen im Licht – zu zweit wäre das alles besser als allein. Mehr im Gleichgewicht.

Sie hatte noch eine Stunde Zeit und legte sich auf ihr Hotelbett.

Der Berg, von dem sie letzte Nacht geträumt hatte, tauchte wieder auf. Jemand rief, „du wirst da hochsteigen. Es macht nichts, dass es kalt ist!" Sie lief einen Weg entlang, ein taubengraues Kleid flatterte im Wind …

Als es klopfte und eine junge Frau mit Reinigungsmitteln und frischen Handtüchern das Zimmer betrat, war Inga klar, dass sie nun rennen musste, sonst würde sie den Bus zurück nicht mehr erwischen.

Vögel

Inga saß im Bus. Merkwürdige Vögel, die Menschen! Sie schaute sich um, beobachtete die Mitreisenden, wie sie aufgeregt mit dem Fahrer verhandelten, ihre Taschen verstauten, Zeitschriften zückten und Tüten mit Popcorn oder Chips anbrachen, so dass sie, wenn sie die Augen schloss, dem Geruch und den Geräuschen nach auch hätte im Kino sein können. Inga dämmerte vor sich hin. An der Fensterscheibe des Busses liefen Regentropfen hinunter. Wer geht? Wohin? Wer bleibt? Wo? Gehe ich? Von wo nach wo? Bleibe ich? Hier? Oder dort? Oder woanders? Wann ist Zeit für das eine, wann für das andere?

„Wenn ich ein Vöglein wär, flög ich zu dir", summte sie vor sich hin. Wie ging der Text weiter? Wie die meisten anderen im Bus, zückte sie nun auch ihr Handy und googelte: „Wenn ich ein Vöglein wär, flög ich zu dir", ein volkstümliches Liebeslied aus dem achtzehnten Jahrhundert:

Wenn ich ein Vöglein wär
und auch zwei Flügel hätt
flög ich zu dir
weil´s aber nicht kann sein
bleib ich allhier
Bin ich gleich weit von dir
bin ich im Traum bei dir
und red mit dir;
wenn ich erwachen tu
bin ich allein.

Inga summte vor sich hin.

Die Küste ist ein Vogelparadies. Dort würde der Bus sie nun erst einmal wieder hinbringen. „Alle Vöglein sind schon da ..." Als sie ein kleines Mädchen war, hatte Ingas Mutter mit ihr gesungen, „Amsel, Drossel, Fink und Star ..." Sie hatte dazu Gitarre gespielt, das war wie Wegfliegen aus dem Haus, in dem es kalt war und schwer und bedrohlich.

Frei fliegen können, über die Dinge hinwegfliegen, singen, im Himmel herumturnen ...

„Ich wär so gern ein Vogel", hatte sie damals oft gedacht.

Inga überlegte, welche sie beim Namen kannte: Möwen, Rotkehlchen, Goldammern, Krähen, Raben, Meisen, Spatzen, Schwalben, Lerchen – die singen im Flug und haben einen markanten Flügelschlag. Hühner und Enten zählen auch zu den Vögeln, fiel ihr dann ein. Vielleicht, weil sie mit jedem Kilometer ihrem Cottage am Meer näherkam. Da würden nicht nur James und Sophie, sondern eben auch der Geflügelstall auf sie warten.

Inga musste lachen: Sie dachte an die herumstolzierenden Hühner, die balzenden Hähne, das Geschnatter der eigenwilligen Entendamen und die Dreistigkeit der beiden Erpel, die sich geradezu in Aggression verwandelte, wenn es darum ging, wahllos eine der zwölf Weibchen zu begatten.

Ingas voyeuristische Blicke hinter dem Küchenfenster hatten schon mehr als einmal mitangesehen, wie eine der Enten auf den Boden gezwungen, in den Nacken gebissen und im wahrsten Sinne des Wortes plattgemacht wurde. Meist wurde die Lädierte im Anschluss daran von einer Artgenossin noch attackiert, während der Erpel, bis auf weiteres zufrieden gestellt, stolz die Federn spreizte.

Bei dem Hühnervolk ist das nicht anders, Inga kannte sich mittlerweile aus: Der stärkere der beiden Gockel ist ranghöher und paart sich häufiger. Er fordert die auserkorene Henne durch seinen Nackenbiss auf, so dass sie sich ducken muss. Von hinten besteigt der Hahn die Henne mit gespreizten Flügeln. Er umkrallt ihre Flügel und verbeißt sich in ihren Nacken. Beide halten das Gleichgewicht, indem die Henne ihre nebeneinanderstehenden Vorderläufe einknickt und der Hahn die Flügel ausstreckt. Beide drehen den Schwanz auf die Seite.

„Vögeln die Hühner im Frühling mehr?", fragte sich Inga. Die Frage fühlte sich unanständig an. Auch lustvoll. Empfinden Hühner Lust?

Eine Frau mit mehreren Einkaufstaschen hatte sich neben sie gesetzt. Sie fahre nur zwei Stationen, sagte sie entschuldigend mit Blick auf ihre Taschen. Woher sie komme und wohin sie fahre und was sie hier tue, wollte diese Frau von Inga wissen.

„Ich beschäftige mich derzeit mit Hühnern und Enten", antwortete sie „und mit Wörtern. Wörter bereiten mir mehr Lust." Die Frau nickte und gab sich Mühe, verständnisvoll zu schauen.

„Words are like birds", sagte Inga. Sie sagte nicht, dass ihr schon wieder ein Lied eingefallen war.

Eines, das nicht das Geflügel, wohl aber die Möwen beschreibt, die wie Skulpturen aus Stein am Wasser sitzen und zusehen, wie die guten Tage davonfliegen, während sie selbst bleiben.

„Some oft them stay, you know", sagte sie zu der Frau. Die war froh, bald wieder auszusteigen. Inga kannte den Text der norwegischen Sängerin Kari Bremnes auswendig:

> Birds are like words:
> Suddenly away.
> Birds are like words:
> Some of them will stay.
> See the empty seat beneath me
> Thinking of the days I spent with you.
> Memories of what we said are circling in my mind
> And make me blue.
> Words are like birds:
> Suddenly away.
> Words are like birds.

Some of them will stay. Von wo nach wo gehe ich? Bleibe ich? Hier? Oder dort? Oder woanders? Wann ist Zeit für das eine, wann für das andere? Fliegen, landen, weiterfliegen. Spüren, wann es Zeit für das eine und wann für das andere ist. Vögel können das. Vögel sind stark und Vögel sind zerbrechlich

„Wenn ich ein Vöglein wär, flög ich zu dir", Inga war sich plötzlich sicher, dass es so war.

Ich bin euch keine Rechenschaft schuldig!

Zwischen Welten hin und her fliegen. Inga fühlte die Spannung zwischen der Stadt- und der Landwelt, dem Inselleben und dem Leben zu Hause plötzlich zum Zerreißen stark. So übermächtig, dass sie, als sie die letzten Kilometer zum Cottage in Ballycastle zurücklegte, erst einmal heftig weinte. Die Zeit dort würde sich mit jedem Tag nun mehr dem Ende zuneigen – und dann? Wohin mit all den Eindrücken, Fragen, Gedanken, die sie beschäftigten?

An der Art, wie Sophie den Schwanz hochstellte und James den Kopf neigte, als sie sich gemeinsam durch den Türspalt zwängten, um Inga zu begrüßen, erkannte sie, dass die beiden sich offensichtlich beschweren wollten. Oder vielleicht auch nur etwas auf dem Herzen hatten, irgendwas hin und her bewegten. „Was ist los mit euch?"

Die beiden nahmen ihr gegenüber Platz.

„Inga", Sophie begann zu reden, „Wir kennen uns jetzt ja schon eine ganze Weile. Du bist hier reingeflogen, und wir wussten gar nicht, wie lang. Mit welcher Absicht? Welchem Ziel?"

James bellte bekräftigend, und Sophie fuhr fort, „na ja, irgendwie sind wir auch Freunde geworden, und du besprichst dies und das mit uns …"

James wedelte mit dem Schwanz, „also, um es kurz zu machen", Sophie atmete durch, „es geht nicht, dass du

182

uns mit mehreren angefangenen Geschichten im Unklaren lässt, dann einfach in die Stadt abhaust, uns irgendeiner Nachbarin überlässt und dann nicht sagst, wann genau du wiederkommst und jetzt vermutlich merkwürdige Andeutungen, Gedankenkonstrukte oder nichts als schlechte Laune oder Traurigkeit verbreiten wirst. Das nervt! Was willst du eigentlich hier? Wie lang bleibst du noch? Und überhaupt... uns gibt es auch noch!", sie stupste ihren Napf an, so dass die Trockenfutterreste sich über dem Fußboden verteilten.

„Wir haben ein Recht auf mehr deutliche Worte!" James sah ihr geradewegs ins Gesicht.

Inga lehnte sich zurück. „Also ihr Lieben, ich koch mir erstmal einen Kaffee. In zehn Minuten treffen wir uns hier wieder, ja?!"

Der Boiler stöhnte, als sei es eins der letzten Male, die er zum Wasserkochen bereit sei und verschluckte Ingas Seufzer.

Sie beschloss, den Kaffee stark und schwarz zu trinken und füllte zugleich die Näpfe der Tiere mit Wasser. „Ich hab uns allen noch Leckerlis mitgebracht", verkündete sie, teilte Trockenfutter aus, legte sich einen Schokokeks bereit. „Also? Was wollt ihr wissen?"

„Das fragst du auch noch?"

Sophie machte große Augen. „Also, wir denken darüber nach, was nun mit diesem Kerl ist, der hier mal kochen wollte. Was mit der Frau passiert ist, die fast den Hühnerstall zusammengeschlagen hat, komische Steine und Ole natürlich und diese Schwedengeschichte. Du bringst Aufregung in unser Leben und tust, als sei das nichts, nein: schlimmer, als seien wir nichts ..."

„Und das ist noch nicht alles", James leitete die Fortführung ein, „was ist mit diesem Karl, an den du ja offensichtlich immer denkst, ist der ein Hirngespinst? Was hast du in Dublin überhaupt gemacht und was soll das, hier im Haus herumzulaufen, schlechte Stimmung zu verbreiten – meinst du, wir kriegen nicht mit, wie du dich an den letzten Zigaretten festhältst, statt mit uns zu reden? Also: Wohin geht die Reise?"

Inga trank einen großen Schluck Kaffee, musste husten, dachte an den Fixpunkt Türrahmen. Dort zwischen Innen und Außen, liebte sie es, Zigarettenqualm einzuatmen und wieder aus, und mit jedem Rauchwölkchen Gedanken zu produzieren, die sie dann auf Papier festzuhalten versuchte. Sie hasste diese Sucht und liebte die vernebelte Sehnsucht. Es war ihr nicht klar gewesen, wie scharf die Tiere sie beobachtet hatten.

Sie streichelte abwechselnd Sophie, dann James, schließlich beide. Ihre kalten Hände wollten sich festhalten, klammern oder Haut streicheln. Sie wollten spüren.

Am liebsten hätte sie auch jetzt wieder eine geraucht. Das produzierte Schwindel, eine Ahnung des freien Falls, der eintreten würde, wenn die Haltlosigkeit siegen, das Fallen nicht mehr aufzuhalten wäre. Das Zigarettengeländer war locker, nicht einmal ein Seil um Halt zu geben, allenfalls ein Fixpunkt, eine fixe Idee. Manchmal liebte sie dieses Gefühl. Sie fokussierte den Ring an ihrem Finger, auf der kalten Haut, die mehr wollte, mehr geben, mehr nehmen. Ihr Wünschen und Sehnen fühlte sich grenzenlos an. Hier bei den beiden, im Cottage an der Küste war die Zeit begrenzt, das war ihr plötzlich sehr deutlich.

Aber was sollte sie den Tieren sagen, die etwas Genaues, etwas Deutliches hören wollten? Sie setzte an: „also, ich rauche und verliere mich ein bisschen in abgründiger Gefühlsduselei und, ihr Lieben, ihr habt Recht, gerade habe ich Heimweh. Heimweh nach was oder wem, fragt ihr bestimmt? Na ja vielleicht ist es eher Sehnsucht: Nach Karl vor allem, ich hab Sehnsucht nach ihm und am liebsten hätte ich, er käme her."

„Und warum tust du das nicht?" Sophie schaute mit großen Augen, „ich meine, ihn hierher zitieren oder her wünschen?"

„Na ja. Der ist beschäftigt. Und vielleicht mag der das hier alles gar nicht; ich bin ja weggegangen, dann muss ich das mit dem Alleinsein jetzt auch aushalten. Außerdem fahr ich ja in absehbarer Zeit wieder zurück."

„Ein Mann kann das doch selbst entscheiden", brummte James, „du hast ihn wahrscheinlich gar nicht gefragt, ob er Zeit hätte, so wie ich dich kenne."

Sophie war in ihrem Element, „wenn er käme, könnten wir ein Fest halten, feiern. Das wäre auch ein Haltepunkt. Besser als deine stinkigen Zigaretten!"

„Die Schachtel ist fast leer", gab Inga zurück. „Feste feiert man nicht allein", dachte sie, fühlte aber das Alleinsein ein bisschen weniger, weil sie spürte wie nah ihr die Tiere waren, wie nah auch ihrer Sehnsucht.

„Also, den Karl lädst du ein. Den will ich sowieso kennenlernen", fuhr Sophie fort, „und die anderen Fragen ...?"

James unterbrach sie: „Ich hätt auch gerne eine Freundin", er dachte die zottige Colliedame, die er, seit Inga Owen mied, kaum noch zu riechen bekam.

„Das tut doch jetzt nichts zur Sache! Als ob nicht jede Katze auch gern ihren Kater hätte!" Sophie wurde streng, „also, Inga?"

„Ich bin euch ja wohl keine Rechenschaft schuldig ...", sie schaute von Hund zu Katze und wieder zurück, antwortete dann aber doch: „Owen ist unberechenbar und plump. Das macht mir Angst. Es war dumm, ihn einzuladen. Er sieht halt nett aus und sein Hund ist auch ein netter."

James fühlte sich ertappt, „und weiter ...?"

„Na ja, Gabi. Ich bin nicht mehr sicher, was ihre Geschichte angeht." Inga erzählte den Tieren von der Begegnung in dem Dubliner Restaurant. Beide hörten mit offenen Mäulern zu.

„Du könntest die zwei einfach mal besuchen", schlug Sophie vor, „vielleicht war es ja nur so eine Gefühlswelle, die da bei Gabi hochschlug, Brian oder Taxifahrer oder her. Die freuen sich vielleicht über Besuch. Und Kuno ist möglicherweise nichts weiter als ein Gockel. Schau sie dir doch an!" Sie sah rüber zum Hühnerstall.

Inga lachte, ja, das aggressive Balzverhalten der Hähne und Erpel ... die vergeudeten offensichtlich viel

Energie damit. Statt, wie sie manchmal dachte, besser um die Hennen zu werben.

„Gerade weiß man wieder nicht, was du denkst und meinst", Sophie war mal wieder bei ihrem Lieblingsthema, der Deutlichkeit.

„Gockeln, Sophie ... Balzverhalten ..."

Alle drei lachten.

„Na ja also. Lass diesen Gabimann doch gockeln. Vielleicht trägt er ja trotzdem zu ihrem Wohlbefinden bei und ist ganz nett. Du brauchst doch das Kind nicht mit dem Bade auszuschütten oder wie sagt ihr Menschen das?"

„Oh meine Klugscheißerin ...", Inga streichelte das weiche Fell der Katze,

„also weiter: Den schwarzen Stein habe ich Brigid überlassen, die kann forschen oder es sein lassen. Ich denke immer, wenn ich an diesem Lookout Post vorbeigehe über die Männer nach, die da wachen mussten, versuche mir vorzustellen, was das heißt: Grenzen markieren, Neutralität wahren ..., Krieg und Frieden, Besetztwerden und Nutzen haben oder benutzt werden ... Das sind dann eher flüchtige Gedanken. Es gibt nichts deutlicher zu sagen, meine Lieben."

„Und Ole?", Sophie wagte sich vor.

„Ole ist sehr nett. Den mag ich. Es macht mich neugierig, mit ihm zu sprechen. Seine Geschichte rührt an meine. Dabei kommt man sich nah. Ich glaub, er ist ein Freund. Aber so einfach ist das nicht ..."

187

„Jetzt wirst du schon wieder schwammig", warf Sophie ihr vor.

„Puhh, seid ihr anstrengend! Na ja, ich dosiere das ein bisschen mit dem Kontakt zu Ole, weil ich nicht will, dass er sich wieder hier hinlegt, und ich mich vor lauter Vertrautheit dazu lege. Außerdem schreckt es mich ab, wie er hier in dieser Öde hängengeblieben ist. Eine Geschichte war zu Ende, und dann konnte er nicht mehr vor und nicht zurück. Das will ich nicht erleben müssen. Aber es interessiert mich brennend, was mit diesen schwedischen Vorfahren los ist, und ich mag mit ihm Kaffee trinken und reden, und dass er sich für mich interessiert, mag ich auch. Konkret genug?"

Sophie grinste, „Lebensgeschichten sind, soweit ich weiß, nicht ansteckend. Und du willst doch auf unser Anraten hin deinen mysteriösen Karl einladen, das würde die Verhältnisse zurechtruckeln. Wieso also eine Freundschaft abschneiden?"

„Ich will jetzt laufen", meldete James an, und Inga war nur allzu einverstanden. „Das ist konkret und deutlich und klar! James, du bist ein guter Lehrer!"

Sophie schaute beleidigt, war aber besänftigt, als Inga ihr ein leises „Danke" zuraunte.

„Ich fühle mich jetzt freier, Dinge zu sagen, wie sie sind", stellte Inga fast beiläufig fest. Und nahm diese Leichtigkeit mit zu der Tanzveranstaltung am gleichen Abend in der „Hall", einer Art Gemeinschaftsraum außerhalb des Dorfes. Bevor sie losfuhr, schickte sie Ole eine Nachricht. „Ich bin beim Setdance, hätte Lust, dich dort zu treffen".

Er kam zwar nicht, aber Inga fühlte sich wohl: Die Mischung aus Reels, Jigs, Polkas, Hornpipes und Mazurka-Rhythmen belebte ihren Körper, sie ließ sich überreden, in einem der Sets mit zu tanzen, ungeachtet ihrer ungenauen Schritte, der für sie unklaren Bewegungsabfolgen. Sie freute sich, dabei zu sein, in diese Menge der auf je eigene Weise fein herausgeputzten Menschen einzutauchen.

Zu Hause würde sie es Sophie ganz deutlich beschreiben: das schwarzgeblümte Kleid der älteren Lady mit ihren staksigen Beinen, der tölpelhaft wirkende Landwirt, dem man nicht ansah, wie akkurat er tanzen konnte, das Mikrophon des nuschelnden Tanzlehrers mit den Steppschuhen, ihre eigene Angst, alles falsch zu machen, ihre heimliche Idee, Ole könnte doch noch kommen, ihre Sehnsucht, Karl das alles zu erzählen ...

Planlosigkeit und Wanderpläne

„Manchmal frage ich mich, ob die Leute hier nicht etwas übertrieben depressiv sind", leitete Inga ihre Überlegungen ein. Sie kam von einer Veranstaltung in der Stadt zurück, schenkte sich ein Bier ein, setzte sich in den Sessel am Feuer.

„Aha, wie meinst du das?" Sophie zeigte sich interessiert, verbiss sich allerdings eine Bemerkung zu Ingas eigener Melancholie.

„Ich denke über die Gruppen nach, die ich hier kennenlerne, Sophie. Du weißt, ich schau mir die Leute an, sammele Worte, schreibe Sätze und habe das Bedürfnis, das alles zu teilen. Ich mag es auch sehr, in den Boglands zu wandern und das gern mit anderen, immer wieder, seit Brigid mich das erste Mal mitgenommen hat."

„Ja und? Nicht gerade Hobbies, die viel mit Geselligkeit zu tun haben ... Aber was das gleich mit Trübsal blasen zu tun haben soll, verstehe ich nicht", Sophie spielte Inga den Ball wieder zu.

Inga dachte über die Leute in der Wandergruppe nach: „Gibt es etwas typisch Irisches? Vielleicht ist es dieser Hang zur Schwermut, die Tendenz, die scheinbare Unabänderlichkeit von allem immer wieder zu betonen?"

Sophie schaute auf, „du meinst dieses lakonische Hinnehmen der Dinge, dieses ewige „it could be worse?"

„Ja", bekräftigte Inga, „zum Beispiel immer wieder beim Wetter, ‚it could be worse'. Soll heißen, dass die Umstände – zum Beispiel Dauerregen – nun mal so sind, wie sie sind. Aber kein Grund besteht, deshalb etwas nicht zu tun. Zum Beispiel wandern. So, als müsse man es tun. Sehr stoisch."

Sie versank wieder in Gedanken. Die Wandergruppe, zu der sie gestoßen war, hatte einen Orga-Plan. Es gab Zuständigkeiten und Verbindungen und Zugehörigkeiten zu weiteren Wanderclubs und eine Dachorganisation. Unterwegs wurde viel über die Wanderkarte geredet. Sie enthielt Daten und verheißungsvolle, fast unaussprechliche Wanderziele wie Knockaffertagh Hill, Creevagh Sezgin oder Birreencorragh, Treffpunkte wie Belmulleet Supermarket und die Telefonnummern der jeweils zuständigen Wanderführer.

Inga mochte keine Pläne. Putzpläne zum Beispiel: wann sie welches Zimmer reinigen sollte, wann Möbel polieren, Gästetoilette schrubben und Kochpläne machen, um möglichst abwechslungsreich, ernährungsbewusst zu essen ... all das war ihr zuwider.

Sie dachte an ihr Leben zu Hause: Pläne mit Dienstbesprechungen, Teamsitzungen, dienstlichen Notwendigkeiten gab es da massenweise, außerdem Stundenpläne, Fahrpläne. Pläne müssen streng sein. Pläne beruhigen und langweilen, Pläne erleichtern und erschweren das Leben. Pläne nivellieren unterschiedliche Bedürfnisse, ein einziger, vorgegebener Takt gilt, es sei denn, man wagt es planlos zu handeln.

Pläne engten sie ein. Stahlkorsette, die sie akzeptierte, wohlwissend, dass ihr Körper auch ohne Korsett aufrecht gehen, sogar tanzen, springen und laufen konnte. Das Korsett ermöglichte Zugehörigkeit, Sollerfüllung, Effektivität.

Sie hatte sich eine planlose Zeit vorgenommen. Ihr Plan sagte ihr, dass es die zu erfüllen galt. War das nun gerade Planerfüllung oder Planlosigkeit, was sie hier tat? War auch sie schwermütig, weil sie alles so nahm, wie es eben kam?

Es gab auf jeden Fall diesen Wanderplan. Sie hatte ihn mit Magneten an ihrer Kühlschranktür befestigt. Ganz nach Plan rief sie am Vortag einer geplanten Wanderung die dafür vorgesehene Nummer an und organisierte ihre Mitfahrgelegenheit zum Ausgangspunkt.

„I'm Inga, I'm here for a while ..." In der Regel nahm man ihr Bemühen, sich vorzustellen, schweigend hin. Die Akzeptanz der anderen war gestiegen, seit sie die Abläufe mitmachte, als seien die Pläne ihr selbstverständlich.

Die Wanderer zeichneten sich durch ihre Outdoorkleidung beziehungsweise dazu verwandelte Lieblingsstücke wie alte Jogginghosen, Pudelmützen oder mit Kreppband zusammengebundene Wanderstöcke aus.

Der jeweils zuständige Wanderführer wusste immer, wer laut Plan mitkommen würde. Zuspätkommen war die Regel und wurde in der Regel lautstark beanstandet. Ebenso die Abwesenheit bestimmter Mitglieder, was wiederum Raum für Spekulation über die Gründe für ihre Abwesenheit lieferte. Einmal festgelegte Wanderungen fanden plangerecht, unter allen Umständen statt - ausgenommen bei Wirbelsturm. So hatten sie es Inga erklärt.

Wandern war ein meist schweigsames Unterfangen. Die Ziele waren abgelegene Natur-Kleinode. Von Zeit zu Zeit blieb einer stehen, die anderen sammelten sich um ihn herum. Die Redezeit begann: Gehörtes, Gesehenes, Geahntes, Gelesenes wurde geteilt, egal, ob die Stehpause an einer der windigsten Stellen stattfand, ob gerade ein Hagelschauer heranzog oder sowieso gleich eine Mittagspause vorgesehen war: Die Chat-Pausen gehörten zum Regelwerk der Wanderungen.

Zur Lunchtime wurden Brotdosen geöffnet, Cheesesandwiches gekaut, Tee ausgeschenkt und Peter, ein bei allen beliebter, etwas schüchterner Lehrer, brachte manchmal eine Flasche Wein mit, den er in kleinen Plastikbechern ausschenkte. Kathleen, die oft verreiste, hatte manchmal Schokolade aus Frankreich oder Lakritzbonbons aus Dänemark dabei, die mit geräuschvollem Gemurmel gern angenommen wurden.

Da gab es die blumig gekleidete Wanderin, die ein Geschäft für Chrismas-Dekorationen betrieb. Oder Ella und ihren Ehemann, beide immer perfekt ausgerüstet. Sie kamen eigens aus Dublin angereist, wo sie während der Woche lebten. Ihr Cottage an der Küste nutzten sie vorzugsweise für diese Wanderwochenenden. Ella liebte es, Ingas Englisch zu korrigieren: „May I correct you ...", leitete sie ihre Verbesserungsvorschläge ein und ergänzte sie mit allerlei Erklärungen.

Ein junger Mann in Jogginghose und Kapuzenpullover sprach gar nicht. Er ging immer vorweg, und es war nie zu erkennen, ob ihm die Wanderung Spaß machte, ihn ermüdete oder langweilte. Er wirkte düster. Anne, sein „Gegenstück", kam ursprünglich aus Australien und hatte immer ein Leuchten im Gesicht, obwohl sie im Tempo nur schwerlich mithalten konnte, am wenigsten mit Ruby, deren Schrittart ihren stahlblauen Augen, dem wettergegerbten Gesicht, der Ausrüstung inklusive Notfallzelt, Rettungsdecke und Klebstoff angepasst zu sein schienen.

Vergeblich hoffte Inga, Sara auf einer der Touren noch einmal zu treffen.

Inga mochte die Wandergruppe, sie mochte die Touren auf dem weichen, faulig riechenden Boden der Boglands, die Berge hinauf, die Wolkenbilder und Panoramen darboten, sie mochte die Luft und die Anstrengung in ihrem Körper.

„Worte finden und wandern – das ist beides was mit w", Inga tauchte aus ihren Wandererinnerungen wieder auf und redete jetzt laut. „Weiche Wolldecke auch", ergänzte Sophie, die ihr immer noch zuhörte, lustvoll. Und ergänzte die W-Wörtersuche gleich noch um „Wurstbrot und Whiskey und Wein und Wärmflasche."

„Na ja, das alles von mir aus." Inga war sich nicht sicher, ob sie der Frage, ob Iren ein bisschen depressiv sein könnten, nähergekommen waren. Die Frage hatte aber auch schon an Wichtigkeit verloren.

Verstecke und Wurzeln

So tierisch die beiden auch sein mochten, vielleicht sogar genau darum, weil sie es waren: Verstecken konnte Inga sich vor Sophie und James nun nicht mehr. Zwar stimmte sie deren Folgerungen nicht immer zu, aber das war eher nebensächlich angesichts der Tatsache, dass sie vor den beiden inzwischen wie ein aufgeschlagenes Buch lag – in dem sie mehr lasen, als ihr recht war. Wegen dieser beiden, aber auch, weil es sie selbst dazu drängte, rief sie schließlich Ole an, „Hi Ole!"

„Inga? ..."

„Ja, ich hatte dich zum Tanz aufgefordert, aber da kam keine Reaktion ..."

„Na ja, deine Tänze sind nicht ungefährlich", brummelte Ole ins Telefon, „außerdem war ich sauer, dass du einfach so nach Dublin abgerauscht bist. So ne Vorform vom endgültigen Abhauen hier, nicht wahr? Sonst noch Fragen? ... Und: Magst du vorbeikommen?"

„Ja, gern", Inga war erleichtert. Sie packte eine Rolle Kekse ein und machte sich auf den Weg.

„Die hab ich in meinem geheimen Süßigkeitenvorrat gefunden", sie hielt Ole die Packung hin, „nicht beleidigt sein, bitte! ..." Sie sah ihn an.

„Meine Zimtschnecken schmecken dir wohl nicht mehr", grinste der.

„Doch Ole, sehr sogar! Das eine schließt das andere ja nicht aus", Inga setzte sich.

„James und Sophie fordern mich", sie kam unmittelbar zur Sache, „nein: Sie konfrontieren mich mit meinen Stimmungen, der Undeutlichkeit, mit der ich Dinge äußere und verarbeite. Sie fragen nach, wie die Dinge weitergehen. Ganz schön anstrengend!"

„Welche Dinge, Inga? Wie geht es dir überhaupt, wir haben uns lange nicht gesehen. Keine Ahnung, wo du dich versteckst."

„Es geht mir gut, Ole. Ich war in Dublin, ich war viel zu Hause und hab nachgedacht, ich war wandern und einkaufen und tanken, hab geschrieben ... willst du mehr wissen?"

„Wenn du mir mehr erzählst ..."

„Hm ... Und wie geht es dir?" Inga wollte das Ruder in der Hand behalten, „Du versteckst dich ja wohl vor der Welt, wenn ich das mal so sagen darf ..."

Ole schaute ernst,

„Inga, du gehst ja ganz schön zur Sache. Was willst du von mir? Was soll das?"

Inga nahm allen Mut zusammen und erklärte Ole, dass es sie abschrecke, zu erleben, wie er hier hängengeblieben sei, ohne wirkliche Perspektive: „Deine traurige Geschichte und dieser öde Ort hier. Ich meine, du triffst sehr wenige Menschen. Das kann nicht gesund sein, Ole. Es macht mir Angst. Ehrlich gesagt, will ich da nicht landen, so außerhalb von allem an einem Ort, den andere erst einmal finden müssen ..."

„Vielleicht hat der Ort mich gefunden ... Und dich ja doch auch ein bisschen. Wieso macht dir das Angst? Bist du deshalb nach Dublin gefahren? Place out, was?"

Inga hatte sich vorgenommen, auf keinen Fall zu weinen. Konnte aber diesen Vorsatz weder halten noch ihre Tränen verbergen.

„Dieser Zustand hier, von allen und allem weg ... das ist auch ein bisschen gemein ...", sie schluchzte.

„Wer ist gemein? Wem gegenüber? Du deinem Karl, weil du eine Zeit lang für dich allein sein willst – Quatsch! Du deiner Arbeit – auch Quatsch! Du dir selbst gegenüber – na ja, wenn du Versteck spielst vor dir selbst, dann vielleicht schon. Also: Sei mutiger und komm raus aus deinem Versteck! Aber sonst: Du sagst ja selbst, was du denkst und fühlst sieht selbst in den Augen deiner Tiere wie Zeilen in einem offenen Buch aus."

„Ole, du redest wie Sophie", Inga schnäuzte sich die Nase, wischte sich die Tränen aus dem Gesicht, „so besserwisserisch ... Entschuldigung, wenn ich das so sage."

„Entweder du meinst das, oder du entschuldigst dich."

„Genau das meine ich", grinste Inga, „das würde Sophie auch fordern."

Sie wechselte das Thema, „Ole, diese Schwedenbezüge, dieser Ort, mein Großvater, dein Vater, dein Cousin ... bist du da irgendwie weitergekommen?"

„Nicht wirklich. Die hätten vermutlich große Vorbehalte gegeneinander gehabt: ein Abkömmling deutscher

Einwanderer und ein vor den Deutschen geflüchteter Jude aus Dänemark. Dass sie sich beide umgebracht haben, diese Schnittmenge ist vielleicht eine Erblast, die wir beide tragen ... bei genauerem Hinsehen aber ...",

„ja, Vater und unbekannter Großvater – das macht ja nochmal einen Unterschied. Und sich vor den Deutschen zu verstecken und für die Deutschen in den Krieg zu ziehen, das ist erst Recht ein himmelweiter Unterschied!"

Ola sah sie an: „Die Gespräche mit dir wühlen mich auf, Inga. Ich hab diese ganzen Sachen irgendwo in mir zur Ruhe kommen lassen wollen ...",

„also vergraben",

Ole wurde ärgerlich. „Erstens unterbrichst du mich, zweitens, nenn es, wie du willst, aber verdammt nochmal, sei nicht so, so, so ..."

„Entschuldige", Inga verstand, "im weitesten Sinn ging es uns um Wurzeln, nicht wahr?"

„Ja", sagte Ole. „Hier werden manchmal welche angeschwemmt, die sich an den nächstbesten Stein geklammert, Halt gefunden haben und nun untrennbar mit ihm verbunden sind – obwohl sie gar nicht zusammengehören."

„Oder grade doch" Inga verstand das Bild, „es sind ja richtige Kunstwerke, manchmal. Du meinst, du hast dich hier auf einer Scholle festgekrallt?"

Ole deutete ein Nicken an, „jedenfalls akzeptiere ich nicht, es als Versteck zu sehen. Mit welchem Recht sagst du so was? Ein abgelegener Ort ist doch kein Versteck!"

„Hm ... und dein Cousin, was hat der gesagt?"

„Nichts weiter, als dass wir vermutlich beide Vorfahren haben, die in der gleichen Gegend gelebt haben. Und jetzt sind wir beide hier. Grund genug, sich auch aneinander klammern zu wollen. Aber ich hab da ja wohl einen Rivalen ...", er lächelte,

Inga ignorierte seine Bemerkungen, „das mit den Wurzeln finde ich schön. Ich werde hier keine Wurzeln schlagen, es ist mir zu einsam hier."

„Und zu Hause, fühlst du dich da nicht einsam?"

„Da kann ich die Einsamkeit eher vertuschen, so tun, als gäbe es sie nicht. Ich spüre sie seltener. Solche Begegnungen wie mit dir sind allerdings auch seltener."

„Das nehm ich mal als Kompliment, Inga. Du spielst doch gern mit Worten: Verstecken und Verstehen klingt ganz schön ähnlich – manchmal versteht man im Verborgenen Dinge besser, etwas das versteckt liegt, kann am Ende etwas erhellen oder so ... Du redest ja immer eher so daher, jetzt fange ich auch schon an. Also ich meine, mein Versteck hier, wie du es nennst, hilft mir zu verstehen, warum manches so war, wie es war und lässt mich okay sein, ein Kauz sein, verschroben, aber ich hab hier auch gelernt, mich zu mögen. Das ist doch das Wichtigste."

Er zeigte auf einen seiner Ringe: „Kennst du den Claddagh-Ring?"

Inga hatte schon öfter Menschen mit diesem symbolträchtigen Ring am Finger gesehen: ein von zwei Händen gehaltenes Herz, auf dem eine Krone sitzt,

„ich kenn' den, aber nee, was er bedeuten soll, keine Ahnung."

„Nun, um dich mal wieder zu belehren: Das ist ein Fischerring, kommt ursprünglich aus Claddagh, einem kleinen Fischerdorf im Westen Irlands, und dort lebte im 17. Jahrhundert ein Fischer, der vor seiner Hochzeit von Piraten entführt und an einen maurischen Goldschmied als Sklave verkauft wurde – soweit jedenfalls die Legende. Er wurde dort dann ebenfalls Goldschmied. Sein Meisterstück war ein Ring, den er in Sehnsucht nach seiner fernen Verlobten schuf und der später als Claddagh-Ring bekannt wurde. Unter William III. konnte der Fischer in seine Heimat Claddagh zurückkehren. Nun, er fand dort tatsächlich seine Braut unverheiratet und wartend vor.

Heute tragen die Leute hier die Claddagh-Ringe unter anderem als Freundschafts- oder Verlobungs- und Eheringe. 'Let love and friendship reign', das ist es, was die Leute in diesen Herz-Hand-Krone-Ring hinein interpretiert haben ... Na ja, und hier hat es sich eingebürgert, dass er, wenn er an der rechten Hand getragen wird und die Herzspitze vom Träger weg zeigt, signalisiert, dass dieser Mensch auf der Suche nach einem Partner ist. Rechts getragen, mit dem Herzen zum Träger weisend, wird kundgetan, dass bereits eine Liebesverbindung besteht. Der Ring an der linken Hand und die Herzspitze zum Träger gerichtet, entspricht einem Trauring."

„Danke. Das ist eine schöne Belehrung. Die Geschichte rührt mich an", Inga schaute auf den Ring, Ole trug ihn links, die Herzspitze nach außen. Sie unterließ es, das zu deuten und fragte stattdessen, was die Ringgeschichte mit den Wurzeln und all dem anderen zu tun hätte.

„Na ja Liebe und Freundschaft und ein bisschen sein eigener König sein, das Motto kann auch beheimaten. Und mit so einem Ring zeig ich das ja öffentlich – von mir aus auch, dass ich da noch jemanden suche, obwohl es auch schon jemanden gab ..."

Inga mochte die Geschichte und den Ring. Sie überlegte, ob sie ihn auch tragen würde. Andersrum. Sie dachte an Karl. Und daran, dass sie ihre eigene Königin sein wollte.

„Danke, Ole ... es ist wie immer, ich muss zurück, Tiere versorgen. Eier suchen auch. Neuerdings verstecken die Hühner sie irgendwo im Gebüsch. Ist doch noch gar nicht Ostern."

„Wenn du welche übrighast, bring doch demnächst mal welche mit. Glückliche Hühner legen glückliche Eier ... Ich mag Rühreier zum Frühstück, weißt du? Schwedisch wäre noch etwas Lachs dazu. Was hältst du davon? Sonntag um zehn Uhr?"

„Okay, da kann ich nicht widerstehen. Ich komme! Jetzt erstmal ciao!"

„Ciao, Inga!"

Als sie Sophie schon von weitem warten sah, wehrte sie ab, „meine Liebe, ich kauf mir vielleicht einen Claddagh-Ring, und am Sonntag geh ich zum Lachsfrühstück, ansonsten keine Fragen bitte, ich bin nicht mehr gesprächig heute ... Komm, hilf mir Eier suchen, die Damen Hühner verstecken sie neuerdings ..."

Sophie zog eine Schnute, sprang dann aber doch in die Büsche und wurde auch schneller fündig als Inga, „gute Verstecke haben diese einfältigen Tanten", sie rollte zwei Eier vor sich her und war mit ihrem Fund sichtlich zufrieden, blieb aber Inga gegenüber eine Weile deutlich eingeschnappt.

„Ich weiß, ihr lasst euch nicht abspeisen und meine Selbstbezogenheit könnt ihr überhaupt nicht leiden", begrüßte Inga James und Sophie am nächsten Tag. Sie merkte, dass sie sich mehr um die beiden bemühen musste, seit sie aus Dublin zurückgekommen war. „Ihr wollt wissen, wie das nun ist mit Ole und der Schwedengeschichte und so. Ich habe einen guten Satz gefunden, der passt zu einem Bild, das Ole mir gegeben hat: das von den Algen, die auf Steinen wurzeln und nicht mehr loszukriegen sind, selbst, wenn sie an Land geschwemmt wurden ..."

„... mit denen kann man nicht vernünftig spielen", nickte James „und durch die Luft fliegen lassen kann man sie auch nicht, aber jetzt komm zur Sache, bitte!"

„Stimmt genau, die meine ich, und ich habe in einer irischen Kurzgeschichte einen passenden Satz gefunden:

‚Our roots do not always react with reason': genau darüber haben wir gesprochen, dass es nicht unbedingt logisch ist, warum man hier oder dort hängenbleibt und dann nicht wieder wegkommen kann ..."

„Aha. Aber du bleibst ja wohl nicht hier hängen, also was willst du uns damit sagen? ... Und diese Schwedenvergangenheit?" Sophie ließ nicht locker.

„Ja Sophie, vielleicht muss ich mich damit nochmal mehr beschäftigen. Zum Staunen finde ich jedenfalls, dass vor 75 Jahren Oles Vater bestimmt einen Bogen um meinen Großvater gemacht hätte, besser gesagt, ihn vermutlich verabscheut hätte. Und später gibt es zwei Nachfahren von den beiden, die in so einem abgelegenen Ort der Welt entdecken, dass an ihren Wurzeln Altlasten hängen, die im weitesten Sinn etwas miteinander zu tun haben. Das ist doch verrückt!"

Sophie nickte und gab ausnahmsweise erst mal keinen Kommentar dazu.

„Und wie geht es jetzt weiter mit dir, Inga?" fragte sie nach einer Weile.

„Sophie, ich werde irgendwann hier wieder wegfahren. Ich hab Sehnsucht nach Karl, ich habe eine Arbeit, ich wohne in einer Stadt, ich werde wieder ins Kino gehen und in Museen und andere Orte bereisen und meine Freunde sehen, meine Sprache sprechen ... Ich werde euch vermissen. Aber noch bin ich ja eine Weile da!"

James lief hin und her, Sophie setzte nach: „und jetzt?"

„Jetzt werde ich meiner Neugier folgen und versuchen, das ein oder andere deutlicher zu kriegen. Die Leute hier reden und reden und wollen mir Wissen vermitteln: Sie identifizieren sich so stark mit diesem Land, ihren Erfahrungen, ihrer Geschichte. Ihr Wissen macht sie stark. Manchmal scheint es, als redeten sie ihre Befindlichkeiten weg: die Melancholie, das Vergessensein, die Trostlosigkeit. Sie finden Schätze in ihren Geschichten, in ihren Wurzeln, erzählen und besingen sie, und geben das alles weiter. Jeder kennt die eigene Familiengeschichte, die der Politiker, Künstler, die des Partners, die der Region. Sie sind stark verwurzelt."

„Aber du warst bei deiner Neugier", Sophie schaute streng.

„Stimmt Sophie, hab ich vergessen. Na ja, ich überleg mitunter: Was macht mich stark? Weißt du, ich bin es gewohnt, meinen Intuitionen nachzugehen, aber nicht selten sind die verschüttet und überlagert oder ich vernachlässige das und dann fühlt es sich an, als interessiere ich mich für gar nichts, und das macht schwach."

„Du meinst also, du kannst von uns Iren etwas lernen?", Sophie setzte sich sehr aufrecht vor Inga,

„ja, von euch Iren und Hunden und Katzen und irischen Hunden und irischen Katzen ..."

„ ... und schwedischen Männern", grinste Sophie.

Inga überließ die Tiere sich selbst. Sie schrieb den Satz, der sie so angesprochen hatte auf ein Blatt Papier: „Our roots do not always react with reason."

Er wirkte beunruhigend beruhigend – sie brauchte keine vernünftige Antwort mehr darauf, warum sie hier war. Sie würde schon weiterkommen mit ihrer Art und Weise, die Dinge zu verfolgen. Vermutlich jedenfalls ... Nur: Wie sollte sie sich daran erinnern, ihr Gespür, ihre Neugier nicht zu vernachlässigen? Was würde sein, wenn Sophie nicht mehr an ihrer Seite wäre? Es war nicht der Moment, der Katze zu sagen, wie wichtig sie ihr geworden war. Sie würde erst recht unangenehme Fragen stellen und versuchen, sie zu halten.

Deshalb beschloss sie, sich stattdessen noch in dieser Woche einen Claddagh-Ring zu kaufen. Eine Art Anker am Finger, fand sie, war schon mal eine gute Idee: Der sollte sie erinnern an ihr Herz, ihre Freunde, ihre Selbstbestimmtheit und ihre Verbundenheit mit Karl ...

Dann schaute sie in ihr Notizbuch, las ihre Kritzeleien, Gedankenfetzen und Beobachtungen. Wie Flüsse, die mal als Rinnsal, mal als Strom, mal in verzweigten Schlangenlinien flossen. Sie wollte weiterspielen mit Worten und Gedanken. „Wasser fließt von selbst, wenn es einmal der Quelle entsprungen ist", dachte sie und zweifelte gleichzeitig: War in ihr etwas entsprungen, das sprudeln wollte?

Sie hatte Lust, einen Kaffee zu trinken. Einfach ich selbst sein, das wäre gut – wie Wasser. Sie hatte in diesem Moment das deutliche Gefühl, es könne ihr gelingen.

„Ich muss noch etwas zu essen besorgen", fiel ihr dann ein. Inga zog ihre Jacke an. Sie rief laut nach James,

„gehen wir zusammen einkaufen?" Noch gab es ihn für sie. Sie fühlte sich gut und stark.

Unterwegs sang sie, warf James Stöckchen hin, kraulte ihn, wenn er sie ihr wiederbrachte. Der freute sich und vergaß seinen Groll, den er seit Ingas Rückkehr aus Dublin hegte, für eine kleine Weile.

Gelbblaues Intensiv und eine rote Tür

Früher hatte sie sich gern Lieder ausgedacht, jetzt begann Inga unvermittelt, James etwas englisch-deutsch Erfundenes vorzusingen. Sie sang von einem Vogel, der am Meer saß und die Wellen bewunderte, die gewaltig waren, und der dort an der Küste beschloss, groß und stark zu sein. Sie bastelte einen Refrain daraus und ging wippenden Schrittes sehr viel weiter den Strand entlang als normalerweise; ab und zu hüpfte sie.

Inga hörte auf zu singen. „James, so spielerisch die Welt erobern – das tun doch eigentlich nur Kinder …", James verstand nicht wirklich, um was es ging,

„wie komme ich dazu, hier rumzuspringen wie ein kleines Mädchen und meine ausgedachten Wünsche in Strophen zu packen?", Sie warf einen Stock, der ihr vor den Füßen lag, durch die Luft. James rannte hinterher, kläffte, wedelte mit dem Schwanz und brachte ihn ihr zurück,

Inga versuchte, ihren selbstgedichteten Vers noch einmal zu singen. Er war ihr entfallen.

„ … Ach James – words are like birds … some of them will stay … Warum ist mir jetzt dieser ganze Kinderkram eingefallen? Gummitwisthüpfen fehlt noch. Oder Verkleiden."

James bellte: „soweit ich das verstanden habe, willst du irgendwie rausfinden, was du alles in deine Notizbücher schreiben kannst."

„So ähnlich James, so ähnlich."

Sie könnte das, was sie interessierte, sammeln, so wie sie als Mädchen Salamander, Glitzerbildchen, Bierdeckel und Schmetterlinge gesammelt hatte: Sammlungen eigener Tagestrophäen. Die Idee gefiel Inga, und sie dachte an das, was sie zuletzt angesprochen oder bewegt hatte.

Eine besondere rote Tür, ein Satz von Lady Gregory und ein bisschen Recherche über eben diese wohlhabende Literatin, ein paar besondere Wurzeln und Bäume, erste Frühlingsblumen und ein Chickencurry würden in diese Sammlung gehören.

„James, in solche Notizbücher schreibe ich alles und nichts: Einfälle, Gedanken, Bildungskram, Naturbeobachtungen, was weiß ich noch alles ... Aber was ist wichtig? Was ist mir wichtig?"

„Das weiß ich doch nicht", antwortete der, „wenn du das selbst nicht weißt? Mich interessiert, wie lange du jetzt noch weiterlaufen willst? Mich interessiert, ob du an Futter gedacht hast, was sein wird, wenn du hier weg gehst? Mich interessiert, ob ich einmal eine Hundefreundin finde, ob Sophie sich auf mein Kissen gelegt hat, während ich weg war. Mich interessiert, wann wir die Colliedame mal wiedertreffen, und ob der Fuchs in der Nacht kommt und ich die Enten verteidigen muss, ob es am Weg zum Meer rechts immer noch so gut riecht ... das war's eigentlich ..."

„Ach James ... Du kennst doch das Gefühl, einem Geruch unbedingt nachgehen zu müssen?"

„Klar", bellte er. Das hatte er verstanden.

„Na ja, ich versuche gerade rauszufinden, was ist das, dem ich unbedingt nachgehen will. Wie sieht es aus? Wie riecht es von mir aus? Welche Farbe hat es?"

„Und?"

„Na ja, vielleicht lila-tiefblau mit gelben Punkten und einem betörenden intensiven Geruch."

„Ja also!"

„Ja also was?"

„Schreib in deine Notizbücher von diesem gelbblauen Intensiv, öffne die rote Tür und schreib von besonderen Wurzeln und der alten Lady Gregory und davon, wohin die rote Tür führt ... zu uns ja wohl nicht", sein Groll meldete sich zurück.

Sie waren zu Hause angekommen. James sprang davon. Ihm war das Gespräch deutlich zu viel geworden.

Inga dagegen überlegte, ob sie tatsächlich eine Art Gedicht schreiben sollte – über die rote Tür. Noch bevor sie sich setzte, hörte sie ein Martinshorn die ländliche Stille zerreißen. Oder waren es sogar mehrere Einsatzwagen der Polizei oder der Feuerwehr oder Rettungswagen?

Inga ging hinaus auf die Straße, James und Sophie saßen schon mit gespitzten Ohren dort,

„da ist was passiert, das ist mal sicher."

„Ja, wohl schon", Inga meinte zu erkennen, dass die Einsatzfahrzeuge nicht im Ort blieben, sondern irgendwo abbogen. Sie fuhr nicht los um zu schauen, „wir können da sowieso nichts ausrichten, also bleiben wir hier." Der Lärm in der Ferne hielt noch eine Weile an.

Am kommenden Tag ging Inga wie zufällig in dem kleinen Dorflädchen einkaufen. Sie schnappte ein paar Worte auf und machte sich ihren Reim darauf, als sie etwas von „Mary" hörte. Dann fragte sie aber doch laut: „was war da los gestern? Was ist passiert?"

Die drei Frauen, die mit ihr im Laden waren, drehten sich um, eine antwortete: „schrecklich, ganz schrecklich ... da Richtung Crossmolina ... Wir alle dachten ja schon immer, dass da was nicht stimmt mit diesen jungen Leuten, die da manchmal auf dem Markt so Zeug verkaufen: Kristalle, Steine, Pflanzen, Algen ... na ja, manchen hilft das ja, is ja auch was dran ... aber ...", eine andere fuhr fort: „Die haben den Laden da ausgehoben. Irgendwas ist passiert. Noch weiß man nichts Genaues. Wird wohl bald in der Zeitung stehen. Aber die sind mit drei großen Rettungswagen gekommen und viel Polizei ..., ach Gott, die Mary gehört doch zu denen und ihre Freundin Sheila auch ... wir sind sehr besorgt ..."

Inga kaufte Milch und Butter und fuhr wieder zu ihrem Cottage.

Mary, die Frau am Meer. Sie erinnerte sich an das, was Noreen, die Nachbarin von Brigid, erzählt hatte von einer Sekte und komischen Gewändern und ...

„oh meine Güte", entfuhr es ihr,

„was?" Sophie war präsent, „was meine Güte?"

„Na, erinnert ihr euch, die Frau am Meer, mit den Tüchern und diesen Augen … Damals, als ich den Stein gefunden habe. Noreen, die Freundin von Brigid, hat sehr merkwürdige Dinge erzählt, und ich hatte nahezu Angst vor dem Blick dieser Frau … Jetzt ist da irgendwie etwas passiert … Ach herrjeh, ich hab mich damals nur noch für diesen Stein interessiert. Hab die Frau und alles, was Noreen von ihr und dieser Gruppe erzählt hat, völlig zur Seite geschoben. Jetzt ist da was passiert. Oh meine Güte, ich fühle mich irgendwie schlecht."

„Dass du dich da schlecht fühlst, scheint mir übertrieben", James mischte sich ein, „aber wir würden auch gern wissen, was los ist!"

„Da müssen wir wohl auf die Zeitung warten", Inga seufzte, „wie merkwürdig, ich denke über rote Türen und Bilder im Kopf nach und phantasiere rum, was interessant ist und ob mein Interesse am Leben gelbblau gepunktet ist und plötzlich passiert etwas Schreckliches. Das lässt solche Überlegungen doch völlig absurd erscheinen!"

„Das Leben ist absurd, liebe Inga, auch, wenn du solche Kommentare nicht magst", Sophie hüpfte auf Ingas Schoß, „das klingt alles irgendwie unheimlich. Aber das schließt doch nicht aus zu spielen, und wenn du deine Wörterspiele magst – warum denn nicht?"

„Weil, weil …", Inga ließ es bleiben, sich weiter zu erklären. Die Tiere hörten in letzter Zeit weniger auf das, was sie sagte. Sie war besorgt, wusste nicht recht, was sie

nun tun sollte und so packte sie ihr Notizbuch aus und
schrieb:

Die rote Tür
Lädt sie ein?
Warnt sie
Vor dem Leben
dahinter
es könnte grün sein und blau
oder gelb
oder lila oder schwarz.
Die Tür steht offen.

Inga schaute auf ihr Papier, sah aus dem Fenster.
Dann schrieb sie Karl eine Nachricht: „Ich denke an dich,
Inga."

Es waren vielleicht die Unfälle, Zwischenfälle, die das
Spielerische verunmöglichten, Inga schaute auf die Zeilen, die sie geschrieben hatte, wandte sich dann Sophie
zu: „ ... sich heimlich wegträumen, Phantasien entwickeln, etwas ganz anderes zu sein, jemand anders zu
sein, so-tun-als-ob spielen oder was-wäre-wenn, eine eigene Wirklichkeit erfinden und darin leben ...", Sie hielt
inne: „Sophie, diese Gruppe da, wo jetzt die Rettungswagen sind oder waren – das war so 'ne heimliche Geschichte. Dieses Leben in so einer Gruppe, von der keiner
außerhalb weiß, was das ist, was die machen ... Bestimmt
fühlt es sich besonders an, dazu zu gehören, dabei zu
sein, so eine Welt zu teilen. Was mag da los gewesen
sein?"

Seit klar war, dass Inga nicht mehr lange bleiben
würde, hatte Sophie eigentlich keine Lust mehr, mit Inga
zu philosophieren. Etwas widerwillig setzte sie trotzdem

an, „du meinst, heimlich macht stark, aber ist auch mitunter gefährlich?"

„Ja Sophie, so ähnlich meine ich das."

Inga erinnerte sich, wie sie früher ihre heimlichen Bilder, Ideen immer weggeworfen hatte, wenn sie ihr gefährlich erschienen waren. Ihre Schätze hatten in verschließbaren Schubladen gelegen und sie liebte es noch immer, Türen hinter sich zu verschließen. Keiner sollte wissen, was sie wirklich interessierte. Keine sollte ihr ihre Ideen kaputt machen oder gar darüber lachen. Das war mit die größte Gefahr, so hatte sie es erlebt und so verhielt sie sich noch immer.

Sie setzte ihre Reflexion laut fort, „das Problem ist, man entwickelt kein Gefühl dafür, ob das, was einem wichtig ist, Chancen hat, von anderen ernst und wichtig genommen zu werden. Da verkleinert man es vorsichtshalber."

„Jetzt sprichst du wieder von dir, nicht wahr?" Sophies Stimme verriet, wie genervt sie war.

„Ja klar, was diese Gruppe, was immer sich dahinter verbirgt, was das angeht ... da müssen wir erstmal abwarten."

Sie mussten nicht lange warten. Ab dem nächsten Tag waren immer wieder Meldungen im Lokalteil des Irish Independant zu finden: Eine Gruppierung, die sich dem Druidenorden angehörig fühlte, habe sich dort unweit der Straße nach Crossmolina niedergelassen. Eine stark unterernährte Frau sei in Trance während der Ausübung eines Naturrituals laut schreiend mit einer Axt auf andere losgegangen und habe sich dann selbst schwer verletzt. Die Angelegenheit werde untersucht. Mehrere junge Menschen lägen schwer verletzt im Krankenhaus.

Inga wusste, dass es Druidenvereinigungen im englischsprachigen Raum gab, aber es hatte sie nie weiter interessiert. Jetzt schaute sie im Internet nach: Sie las vom Ordensgerüst der Druiden, der Druids Society, dem auch im Internet aktiven Druid Network. Weiter fand sie etwas über die Existenz einer Ursubstanz namens Manred, einer Reise durch drei Kreise des Seins und über die Verehrung keltischer Götter und Heroen als versinnbildlichte Naturkräfte. Ihr wurde das alles bald zu viel. Diese und weitere Dinge wie heilige Haine, Baumhoroskope, Alchemie, druidisches Tarot, „keltisches" Reiki und sogar Druidenyoga gingen ihr deutlich zu weit.

„Hm, vielleicht hat die merkwürdige Kleidung, von der Noreen erzählt hat, eine symbolische Bedeutung. Würd ich gern klarer kriegen, verstehen, einerseits. Aber andrerseits vielleicht auch lieber nicht ... Brrrr, beängstigend, in gewisser Weise."

„Irgendwie klingt das auch nach einem Spiel", meinte Sophie,

„und dann war es kein Spiel mehr. Sondern blutiger Ernst", ergänzte Inga. „Schrecklich. Ich muss an Mary denken. Ich hoffe, es geht ihr gut."

Beide Tiere nickten kommentarlos.

Dem Zeit-Riesen trotzen

Die Vorkommnisse rund um die Druidensekte beschäftigten die Leute noch eine ganze Weile. Verunsicherung und Angst lagen in der Luft.

„Jetzt wurde deine Neugier für ein paar Tage mal wieder abgelenkt", Sophie griff das Thema irgendwann wieder auf, „dabei wolltest du uns von blau-gelben Dingen erzählen, die dich interessieren oder so ähnlich ..."

„Ich meinte, dass Interesse und Neugier vielleicht blau-gelb gepunktet wären, hätten sie eine Farbe", korrigierte Inga.

„Wieder so ein Inga-Gerede, ich werde deine Hieroglyphen vermissen", James hatte sich angewöhnt zu spötteln, wenn er gar nichts mehr verstand.

„Also, wenn gerade nichts passiert, oder nicht andere mit ihren Vorkommnissen, Kümmernissen, Interessen deutlich im Vordergrund stehen – was ist dann? – was macht mich dann neugierig? Darum geht es mir", versuchte Inga zu erklären.

„Du hattest doch hier schon sehr viel Zeit, dich damit zu beschäftigen", merkte Sophie an und gähnte, „also, was ist denn bislang so das, was du mitnimmst – für dich?"

„Du fragst nach ner Art Irland-Zwischenbilanz?! Okay ..., also: Ich nehme die Natürlichkeit, die Ursprünglichkeit der Iren mit, ihre Fähigkeit, Menschen so sein zu lassen wie sie sind. Unprätentiös irgendwie.

Kaum jemand, der sich aufdrängt. Wenig Angeberei. Kein Einsortieren nach Besitzstand oder Vermögen, dafür viel Individuelles, das man unerwartet entdecken kann ..."

„Also Entdeckungen bei genauerem Hinsehen?" Sophie hörte sehr genau zu.

„Ja, schon: rausfinden, warum Menschen, Landstriche, natürliche oder kulturelle Phänomene so sind, wie sie sind und wie sie dazu geworden sind – das ist doch großartig!"

„Dich interessiert das jedenfalls – mir reicht es schon, etwas oder jemanden nach dem Geruch zu beurteilen", maulte James.

„Ich weiß, James." Inga fuhr unbeirrt fort, „ich staune auch über das Geschichtsbewusstsein und die Fähigkeit der Iren, Wurzeln zu finden, sich zu verwurzeln."

„Damit hast du ja auch angefangen oder bei dir selbst angeknüpft in diesen Ole-Gesprächen", bemerkte Sophie und zog eine Braue hoch.

„Ja, schon. Und mich interessiert auch die Gleichzeitigkeit von Nationalität und Internationalität hier. Sich selbst bewusst zu sein und weit nach außen sehen zu können – das ist schön, davon nehm ich auch was mit!"

„Mitnehmen ist aber etwas anderes, als sich wirklich zu interessieren", Sophie zeigte sich spitzfindig.

„Meine Güte Sophie, ja ... ich meine, das passiert wie ein Geschenk: die Natur, ihr Rhythmus, ihre Launen und das immer morgens Draußensein, das Vertrauen, dass die Tage schon je ihre eigene Melodie haben, die Freude, sich in einer anderen Sprache ausdrücken zu können, den Mut, so ein Wagnis einzugehen, diese Zeit mit Reisen und Autofahren und so ... das alles nehme ich mit, auch die Geschichten, die ich eingefangen habe und die Lust am Aufschreiben und Erspüren, dass intuitiv viele Gedanken und Einfälle von ganz allein kommen ..."

James Augen verrieten, dass er sich langweilte,

„die Beziehung zu euch nehme ich mit – oooh, ich werde euch vermissen! ... oder mitnehmen?!"

Sophie schaute auf, „das klingt, als wolltest du sehr bald abfahren?!"

„Nicht jetzt Sophie, aber ja, bald ... nicht lange. Ich hab auch Sehnsucht nach Karl und Freundinnen und Kollegen, nach meiner Stadt und meiner Sprache ..."

„Mitfahren klingt spannend", Sophies Phantasie wurde angeregt, sie lief mit aufgestelltem Schwanz hin und her, „wie sieht es aus in deiner Stadt?"

„Na ja Sophie, da stehen vor allem viele Häuser und es gibt viele Autos und viele Menschen. Ich lebe in einer Wohnung, die ne ganze Ecke kleiner ist als dieses Cottage, bin den ganzen Tag unterwegs, arbeite in einem Büro, sitze an einem Computer oder in Besprechungen und Konferenzen und abends bin ich hungrig und müde."

„Da möchte ich nicht hin", kommentierte James und Sophie merkte an, dass das irgendwie gefährlich nach Bauch- und Kopfschmerzen klinge.

Inga redete weiter: „Katzen und Hunde leben überwiegend in Häusern – Hunde werden ab und zu spazieren geführt. Und Enten und Hühner leben in großen Ställen außerhalb der Stadt ohne Wiese, ganz im Dunkeln."

„Wie traurig ist das denn ...", Sophie schüttelte den Kopf, „Aber ich denke darüber nach. Katzen können es sich auch drinnen gemütlich machen. James, wir beraten das, okay?"

James knurrte unverständlich. „Und wie riecht es da?"

„Gute Frage James", Inga schmunzelte, „hm, da riecht es ... ein bisschen langweilig, vielleicht wie Hagebuttentee und nach Autoauspuffluft, Kaufhaus und Industrie-Hefekuchen, aber auch vertraut nach Brötchen, Butter und Kaffee oder nach Wald, schwer zu erklären ..."

James versuchte, sich das vorzustellen, es gelang ihm nicht wirklich.

Inga fand, es sei jetzt Zeit, etwas zu kochen, als Brigid anklopfte: „Hallo Inga!"

Inga öffnete. „Bevor ich nächste Woche verreise, wollte ich dich nochmal besuchen und dir erzählen, also ... der Stein ... weißt du noch?"

„Klar weiß ich noch, der schwarze Stein. Wir dachten zuerst, er hätte was mit Mary und dieser Sekte zu tun ... oh mein Gott, ich mache mir Sorgen, was mit denen ist."

Brigid nickte, „Ja, ich auch. Aber was ich dir erzählen wollte: Der Stein, also, ich hab einen Forschungsauftrag bekommen. Ich kann meiner Hypothese nachgehen, dass da ein Zusammenhang zu den Lookout Posts besteht ... mal eine ganz andere Art Forschung. Es gibt EU-Gelder. Inga, den hast du gefunden!"

„Und der ist bei dir in den richtigen Händen. An Steinen interessiert mich nur, wie sie aussehen. Aber deine Ergebnisse werden mich interessieren. Die schickst du mir, ja?!"

„Verlässt du uns denn schon wieder, Inga?" Brigid war erstaunt,

„nein, nicht sofort, aber es ist absehbar."

„Und wie geht es dann weiter für dich?"

„Na ja, Brigid, dann hat mich die Großstadt wieder, und ich gehe ins Kino und ins Theater und treffe Leute und gehe arbeiten – vielleicht in umgekehrter Reihenfolge ... Ich freue mich darauf und bin skeptisch zugleich, ob es das ist, was ich dann brauche ... vielleicht arbeite ich ein bisschen weniger als vorher und bin ein bisschen mehr zu Hause. Vielleicht bin ich mehr draußen und bewege mich mehr ... We will see ... Hab du erstmal eine schöne Reise, und dann sehen wir uns, und die Geschichte mit dem Stein und deinem Forschungsauftrag feiern wir noch: Ich lade dich ein, wenn du wiederkommst: German Food ..." Inga überlegte, was sie damit meinen könnte, Schnitzel, Braten mit Püree, Frikadellen und Leipziger Allerlei? Königsberger Klopse? Bratkartoffeln? Sie aß eigentlich gar kein German Food und würde sich was überlegen müssen.

Ein Forschungsauftrag, das klang gut. Brigid hatte dieses Interesse an den Steinen, ihrer Herkunft und Bedeutung, „bei mir sind es wohl eher Menschen – Menschen beschreiben, Porträts mit Wörtern malen, das würde mir gefallen! Interviews führen, Menschen erzählen lassen, Geschichten zusammensetzen. „Our roots do not always react with reason": Das Unvernünftige ausgraben und ausdrücken, das könnte lustvoll sein, kam ihr in den Sinn.

„Vorerst beginne ich eine Liste mit Lieblingswörtern", beschloss sie, riss eine Seite aus ihrem Block und hängte sie auf:

„Our roots do not always react with reason", schrieb sie obenauf, betrachtete das als vorläufigen Titel, dann nahm sie einen Filzstift und schrieb:

Stärke – Neugier – scones and butter – could be worse.

Dann unterbrach sie sich, schmückte erst einmal den Rand des Papiers mit Zitaten, die sie gesammelt hatte:

„You see things, you say why? But I dream things that never were; and I say why not", war das eine. "Life isn't about finding yourself. Life is about creating yourself", beides von Georges Bernard Shaw und natürlich: "Be yourself everybody else is already taken", Oscar Wilde.

Sie hängte ein zweites Blatt daneben und ein drittes ... Ihr würde noch mehr einfallen, sie hatte noch Zeit.

Was sollte sie mit der verbleibenden Zeit anfangen?

Zeit war ein wichtiges Wort. So viel hatte sie mittlerweile erfahren. Sie wusste um den Zeit-Raum, der sich eröffnete, ein Raum, in dem sie sich ebenso finden wie verlieren konnte.

„Zeit ist ein Riese" – ein Satz, der sie vor einiger Zeit noch getragen hatte, jetzt kam er drohend daher. Erschlagen könnte sie der Riese Zeit, auffressen oder alles hinwegfegen. Was war „alles"?

Inga sah sich ihre mittlerweile arg lang gewordene Wortkette an:

Hören – riechen – sehen – fühlen – sprechen – Fliegenwollen – Taxifahrer – duldsame Ungeduld – Hundstage – Entengeschrei – nachgetragenes Mitleid – Tränenreservoir – Neutralität – Wahlverwandtschaften – Instantkaffeepulver – Himmel hinter der Begrenzung – Fisch und Wein – Mist – konkurrierende Mimosen – wirklich wissen wollen – geduldig dulden – puzzeln – verwirren – vermissen – Männer – Väter – Herz – warm – kalt – Restglut – Schönheit – words – birds – Lust – genauer – Anker – rot – spielen – tanzen – Wurzeln – Einsamkeit – Konfrontation.

Ziemlich lang ...

Manchmal tat es gut, wortgewaltig daherzukommen. Es war wie Zähne fletschen, es half, souverän zu bleiben. Mit Analysewörtern vermochte sie das.

Sie versank wieder in Gedanken: Analysewörter waren für sie aufgeblähte Gebilde, die nur dann machtvoll sein konnten, wenn niemand fragte: „Was meinst du genau damit? Welche Geschichte gehört dazu?"

Auf ihrer Liste stand kaum ein Analysewort, das war gut. Aber Wörter ohne Geschichten machten auch misstrauisch. „Geschichten schreiben zu können, das wäre schön", fand sie.

Zunächst beschloss sie, aus jedem Wort einen konkreten Satz zu bilden: Eine Sammlung von Beschlusssätzen für alle Zeit, die kommen würde; Kraftsätze, mit deren Hilfe sie dem Zeit-Riesen, an den zu denken sie gerade so beängstigend fand, trotzen konnte. Sie begann sofort:

Ich werde hören können, was JETZT wichtig ist!

Wie James und alle anderen Hunde werde ich riechen, wer guttut. Und wer nicht!

Ich werde mich an Schönem sattsehen und mich wohl in meiner Haut fühlen!

Ich werde das Fliegenwollen begrüßen mit Flügeln, die mich weiter und höher bringen!

Ich werde verwegene Taxifahrer lächelnd begrüßen!

Ich werde Hundstage humorvoll ertragen!

Ich werde mit Fisch und Wein leben, lieben, feiern!

Ich werde Mist sagen und Nebel, Dünger und Scheiße meinen!

Ich werde wirklich wissen wollen oder gar nicht. Und präzise ausdrücken, was ich will und meine!

Ich werde Dinge, die mich verwirren, erst mal stehenlassen und dem nachgehen, was ich vermisse!

Ich werde mein Herz schlagen hören und dafür sorgen, es warm zu haben!

Ich werde Rot meine Lieblingsfarbe sein lassen und mehr spielen! Und tanzen!

Ich werde meine Wurzeln achten!

Inga atmete tief durch. So viel Stärke – was sollte der Riese Zeit ihr da noch anhaben können? Er verwandelte sich wieder in den freundlichen Gesellen, der er früher gewesen war.

Sie beschloss, vorerst aufzuhören mit diesen Sätzen, sie allerdings auf längere Sicht weiter zu schreiben, um einen möglichst scharfen Blick zu behalten.

Glücksmomente, oder: von Karl reden

Es dauerte nicht lange, da stand Sophie vor Ingas Liste: „Dein Wegfahren kündigt sich da an. Du bereitest dich vor, da kannst du mir nichts vormachen. Und ich habe darüber nachgedacht: Mitfahren klingt verwegen, aber was du vom Leben in deiner Stadt erzählt hast ... da sträuben sich mir die Nackenhaare. Es gäbe einen einzigen Grund ...“

„Der da wäre?“, Inga erwartete, etwas von besserem Katzenfutter oder neuen Bekanntschaften zu hören,

„... dieser Karl“, setzte Sophie an, „immer, wenn du Sehnsucht hast, heißt die Antwort Karl. Gesehen hat ihn noch keiner. Hier jedenfalls nicht. Wer weiß, ob er nicht doch bloß ein Phantom ist. Jemand, den du erfindest, damit es dir leichter gelingt, ...“

„Was leichter gelingt?“ Inga war gespannt auf Sophies Antwort.

„Na, irgendwie stellst du dir vor, mit ihm sei alles einfacher. Jedenfalls klingt das immer so.“

„Hm“, Inga fragte sich, ob es die Katze etwas anginge, wer Karl für sie war und was sie vermisste und ob sie davon überhaupt etwas verstehen würde, da setzte die Katze auch schon wieder an,

„warum besucht er dich hier nicht? Zu langweilig bestimmt. Interessiert er sich wirklich für dich, und würde er sich auch mit James und mir befassen? Um den Kerl einmal kennenzulernen, würde ich wohl mitfahren, wenn du hier abhaust – aber mit Rückfahrkarte ..."

„Sophie ... erstens fahr ich jetzt noch gar nicht weg. Zweitens ... ach, ich weiß auch nicht. Vielleicht traut er sich nicht, mich zu besuchen. Ich hab ja sehr deutlich gesagt, dass ich eine Weile alleine sein will ..."

„Du meinst, du warst zu scharf. So, wie du mit uns manchmal sprichst ..."

„Vielleicht auch scharf, Sophie. Und so sehr ich ihn herbeisehne, da gibts auch andere Seiten in mir, die keinen Karl hier haben wollen ... aber geht dich das eigentlich was an?"

„Was wäre denn, angenommen, er wäre hier für ein paar Tage und ließe sich von deinen Ansagen nicht abschrecken, was wäre dann das, was dich da glücklich machen würde?"

„Geschickte Frage, Sophie, Chapeau! Na ja, es würde mich zum Beispiel glücklich machen, dass er sich von meinen scharfen Ansagen, wie du das nennst, nicht abschrecken lässt ..."

„ ... also einer, der ein bisschen so ist wie ich?" Sophie schnurrte.

„Ein bisschen, Sophie, ein ganz kleines bisschen wie du ... Na ja, wenn ich mir vorstelle, ich würde morgens aufwachen und Haut spüren und Karl riechen und zwischen Schlaf und Wachsein in den Tag gestreichelt werden, mit Haut und Haar geborgen, in einem Zustand von Zeitlosigkeit, um später, nach der nassen Stallarbeit, den

Kaffeegeruch schon in der Nase, im Handtuch, das ihn ausatmet, frisch und neu in der Küche empfangen zu werden ..., das wäre schon was ..."

„Nicht schlecht ... das können James und ich dir nicht bieten."

Inga war in ihre Phantasie versunken, „und dann warmen Toast und Zeitungsgedanken teilen und den Blick aus dem Fenster, das Wetter belächeln und finden, dass es unerheblich ist: ‚was ist schon Wetter?' – noch einmal beieinander sein, wegtauchen, seine warme Haut riechen, um dann aufzubrechen, gemeinsam schauen, was ist: Meer, Grün, Straße, Strand ... alles. Ich würde es gern hören, wenn er dann sagte: ‚Es ist gut bei dir hier', und die Entspanntheit spüren, mit der die schweren Wörter leichter daherkommen, und das Erzählen von dem, was war und ist – einfach so."

„Wow, nicht schlecht", Sophie schnurrte plötzlich ganz warm und streckte sich am Boden aus, „weiter Inga, weiter, was noch?"

Inga lächelte, „nix Besonders, Sophie oder eben gerade doch: Kochen und singen, während er dasitzt und liest oder sonst was macht, und es fühlt sich so an, als ob es ganz genau so stimmt. Vielleicht würde er den Kamin anzünden oder den Hühnerstall anmalen oder irische Lieder lernen – egal, es wäre sowas wie Glück und dabei entstünde das Gefühl, Zeit zu haben – sehr viel Zeit ..."

Sophie legte den Kopf zur Seite „so, wie ich dich kenne, würdest du skeptisch sein bei allzu viel Glück und anzweifeln, dass es wirklich da ist. Aber vielleicht gibt es ja den, der sich davon nicht abschrecken lässt. Wer weiß. Klingt schön, was du da beschreibst!"

Inga seufzte genüsslich, „der Rest Sehnsucht geht dich nichts an, Sophie; das war schon eine ganze Menge ... also, habe ich die Was-wäre-wenn-Frage exakt genug beantwortet?"

„Bleibt die Frage, ob es den Kerl wirklich gibt", Sophie verschwand schnell. Sie spürte, dass Inga sehr bewegt war und wollte sie erst einmal allein lassen.

Inga setzte sich an den Kamin. Tatsächlich hatte sie bei ihrem Aufbruch vor ein paar Monaten ja beschlossen, eine Weile ohne alles und jeden zu sein, „rausfinden was ich wirklich will", hatte sie es genannt. Meinte sie eigentlich „wen ich wirklich will" – wie Bekannte und Freunde schon gemutmaßt hatten?

Inga behielt die Frage der Tiere im Sinn. Wer ist Karl überhaupt? Er war wichtig wegen ..., wegen ... verflixt, wo war Sophie? Die würde jetzt die richtigen Fragen stellen. Sophie war nirgends zu sehen, also stellte Inga sich vor, James und Sophie säßen jetzt vor ihr und warteten darauf, endlich eine eindeutige Beschreibung von Karl zu bekommen. Sie vertiefte sich in dieses Bild und stand schließlich auf. Sie stützte sich mit den Händen auf den Küchentisch, auf dem außer einer leeren Kaffeekanne nichts weiter stand. Und hielt eine Art Plädoyer: „Meine Lieben", sie musste sich ein wenig überwinden, ihr Spiel fortzusetzen, „Karl, von dem ihr schon so viel gehört habt, dem habe ich gesagt, dass er hier nicht herkommen soll, obwohl ich mir nichts sehnlicher wünsche. Ich gebe zu, das ist ein Widerspruch."

Sie hielt inne.

„Ich spreche jetzt nicht über meine Widersprüchlichkeiten", fuhr sie fort, weil sie genau darüber gerade gern reden wollte, „sondern über Karl. Ja also, als ich Karl kennengelernt habe, hab ich gedacht, dass das Gesicht dieses Mannes eine interessante Geschichte erzählt – er hat ein Lebensgesicht, und er ist jemand, der sich aus ganz vielen Geschichten zusammensetzt. Widersprüchliche Geschichten, tief traurige, dramatische, glückliche, Erfolgstories sind dabei und Abenteuer, und wenn ein Märchen zu ihm passen würde, dann der 'Hans im Glück'."

Sie hielt wieder inne. Würde das die Tiere interessieren?

„Na ja, er ist ein Menschenfreund – Tiere mag er auch – und manchmal menschenüberdrüssig, ein Denker und ein Genießer und einer, der viel wagt. Großzügig ist er, hat warme Hände und eine tiefe Stimme und besonders gut riechende Haut. Karl fordert heraus und kann hinhalten ... Karl schillert."

Inga wusste nicht, ob sie überzeugte, ob das ein Bild ergab, ob ... Sie setzte neu an: „Karl ist erfahren in Bezug auf alle möglichen Lebenssituationen, er ist wissbegierig, reist gern, liest viel, liebt Überraschungen und Spontanes und hasst die Langeweile. Karl isst und trinkt mit Genuss, Karl ..."

Inga war geneigt, aus ihrem Szenario wieder auszusteigen. All diese Beschreibungen sagten doch nichts darüber aus, was Karl für sie bedeutete. Aber wozu sollte sie das darlegen? Weil Sophie nörgelte? War es so weit schon gekommen? Aber Sophie, das stimmte, zwang sie zu einer Art rationaler Überlegung in Bezug auf ihre Sehnsüchte, Liebesgedanken, Wünsche, Gefühle ...

„Karl ist ein Mann, der sich ernsthaft mit mir auseinandersetzt, nicht wegläuft, der sich nicht zufriedengibt, wenn er nicht zufrieden ist. Karl überrascht. Karl ist lebendig. Karl hat eine klare Sicht, einen scharfen Verstand und damit fordert er mich heraus. Und einen liebenden Blick, der wärmt und trägt und diese Mischung macht, dass sich das Zusammensein mit ihm spannend anfühlt und beides erlaubt: ganz nah zu sein und sehr weit voneinander entfernt. Karl ist einer, der mir guttut, weil das so ist."

Sie hielt wieder einen Moment inne.

„Und der mir nicht guttut, wenn ich nicht ich bin, sondern denke, ich müsste irgendwie sein."

Jetzt rollten ihr ein paar Tränen über die Backen und Inga unterbrach ihre Rede. Sie dachte an Beziehungsarrangements, die deshalb endeten, weil sie zur kaum aushaltbaren Zerreißprobe wurden, die alle Beteiligten unglücklich werden ließ.

„Ich will von Glück sprechen – nicht von Unglück. Glück ist, dass er das Unglücklichsein mitkriegt und mich dazu bringt, mich um mich selbst zu kümmern ..."

Sie spürte die Zweifel durch die Poren ihrer dünnen See-
lenwände krabbeln.

„Glück ist, zu spüren, dass man miteinander weiter-
kommt, dass man sich zeigen kann; dass es sich getragen
und sicher anfühlt, Schritte zu wagen. Dass man nichts
muss, aber vieles kann, dass man manchmal verwöhnt
wird, dass man verwöhnen darf; dass man Interesse
spürt und sich interessiert, dass man teilt, was man erlebt, dass man beieinander zu Hause ist, dass man sich
freut, den anderen zu sehen ..." Jetzt weinte sie wieder
und spürte ihre Sehnsucht sehr deutlich.

Sophie war unterdessen wieder reingekommen, James in ihrem Gefolge. Er setzte sich auf ihren Schoß und
leckte ihre Hand.

„Ich wollte dich nicht traurig machen", setzte Sophie
an.

„Hast du nicht. Ich hab mir nur vorgestellt, euch von
Karl zu erzählen."

„Ooooh, schade, dass wir draußen waren – also James
und ich dürfen dir noch je eine Frage stellen, okay?"

Sophie wartete gar nicht ab, was Inga antworten
würde, sondern fragte gleich los: „Welche von den Gewohnheiten, die Karl und dich so verbinden, sollten auf
jeden Fall weiterbestehen, wenn er auch mit hier wäre?"
Und James, den Ingas Tränen rührten, fragte: „und Karl,
wie glaubst du, würde er dir raten, dich zu erholen, und
wie erholt er sich selbst?"

„Meine Güte, ihr überrascht mich immer neu", Inga sah die beiden an.

„Also, Rituale oder sowas mit Karl hier: hm ... so ähnlich wie mit euch, aber eben doch ganz anders: spazieren gehen, reden, sich beieinander wärmen, essen, zusammen Musik hören ... reicht das?" Inga lachte schon wieder und fuhr gleich darauf fort, auch James zu antworten, „Karl würde mir was kochen und selbst kocht er auch, um sich zu erholen oder er geht in den Wald oder malt ein Bild oder schläft ... Mir rät er auch, zu schlafen, obwohl ich manchmal gar nicht schlafen kann, aber das lässt er nicht gelten."

„Also, mir gefällt dieser Karl", kommentierte James und dachte in erster Linie an dessen Kochkünste. Und Sophie ergänzte: „vielleicht traust du dich, ihn hierher einzuladen, denn ehrlich gesagt, reizt mich die Reise in deine Stadt weniger. Er scheint mir aber interessant genug zu sein ..."

Es war spät geworden und Inga beschloss, den Tag, wie meist, mit einem Spaziergang ans Meer zu beenden: Die Wolken am blauschwarzen Himmel illustrierten ihre Gedanken, die Wellen kommentierten sie mit gleichmäßig heftigem Peitschen, das bis in ihr Cottage hinein zu hören war.

Als sie die Tür öffnete, fand sie ein in Papier gewickeltes Päckchen – „Regards, Sue", in Plastikfolie war ein Kuchen eingepackt: „Gingercake with Nori and Guinness" stand auf einem handgeschriebenen Etikett.

Sue, die Algensammlerin, war also da gewesen. Nori mussten wohl Algen sein, Inga vergewisserte sich: Nori war ein japanisches Wort und diese Algenart werde bevorzugt für Sushi verwendet, fand sie heraus. Sue hatte mit Nori, Guinness und Ingwer also Kuchen gebacken, Inga hob ihn auf, legte ihn in die Küche, „very irish", dachte sie und roch daran: „herb und würzig-männlich", erklärte sie den beiden Tieren. Ihr entspanntes Lächeln zeigte, dass sie sich freute. „Apropos Algen und James' Frage nach der Erholung ... Seaweedbathing, das wäre Erholung, die vermutlich Karl und mir gefallen würde!"

Und während sie, gefolgt von Hund und Katze, Richtung Meer schlenderte, erzählte sie den beiden, dass sie sich vor einiger Zeit – eher aus Neugier – etwa 50 Kilometer weiter an der Küste, in Enniscrone, ein Algenbad gegönnt hatte. Sie beschrieb die schweren Porzellanbadewannen, die Jugendstilkacheln, die piplinegleichen Wasserhähne, den beängstigenden Metallduschkopf und die schafottartige, hölzerne „Steambox".

Und als Sophie große Augen machte, beschrieb sie den Mechanismus genauer,

„na ja, eine Art Holzverschlag, wie ein Sarg, aber mit Tür und einer Öffnung drin für den Kopf. Mit einem Hebel kann man Dampf hochsteigen lassen und dann wieder völlig benebelt zurück in die Algenwanne steigen, das ultimative Badeerlebnis!"

„Ich weiß ja nicht ...", James zeigte, dass seine Badefreuden anders aussahen und stürzte sich kurzerhand direkt ins Meer.

Sophie zog die Schnute kraus, „halsbrecherisch ist ja
noch gelinde ausgedrückt ... das soll Erholung sein?"

„Oh ja, Sophie: Health, Beauty and Relaxation ver-
sprechen die da, und so fühlt es sich auch an, und um an
vorhin anzuschließen: Es gibt dort auch Doppelkabinen,
also Räume, in denen zwei Badewannen stehen. Käme
Karl hierher, wie ihr euch das so vorstellt, dann würde
ich ihn dorthin schleppen und mit Algen einreiben und
abwechselnd mit ihm in dieser Dampfkiste sitzen und
mich fühlen wie Lady Gregory im Bade höchstpersön-
lich ... Aber um wieder zu uns zu kommen: Warum
bringt Sue mir eigentlich Kuchen?"

Sophie grinste,

„Seaweed-Kuchen ... wer weiß, wie der dir bekommt.
Er riecht jedenfalls gewöhnungsbedürftig und manche
reagieren ja darauf sehr empfindlich ..."

Und James, der sich mittlerweile trocken geschüttelt
hatte, bekundete, dass er gern auf diesen Kuchen ver-
zichten würde.

Inga beschloss, den sonderbaren Kuchen anzuschnei-
den, nahm sich ein Stück, öffnete eine Dose Guinness
und hing ihren Badephantasien nach: Schönheit, Gesundheit, Entspannung könnten programmatische
Worte werden, die sie behalten sollte; sie kaute und
spülte den ihr fremden Geschmack mit Bier nach. Sie
hätte nicht behauptet, dass ihr die Mischung schmeckte,
aber sie fühlte sich auf eigenartige Weise glücklich.

Bis zu ihrer Rückkehr in den Alltag hatte sie noch ein paar Wochen Zeit. Die Frage: „Was interessiert mich wirklich?" tauchte in immer anderen Facetten in ihren Gedanken auf. Welches war die Tür, der Eingang zu einer Antwort?

„Türen sind hier oft in Englischrot gehalten", hatte sie neulich aufgeschnappt. Englischrot sei eine Farbe, deren Pigmente in der Regel gebrannte und verkollerte Eisenoxide seien, Mischungen aus unterschiedlich roten Erden.

„Rot und echt und wetterbeständig",

Inga schnitt sich noch ein Stück Algenkuchen ab,

„und neu, wie dieser Geschmack oder das Badeerlebnis neulich: Ich will Neuland entdecken und ... 'verkollern' ist ein schönes Wort – klumpig auflösen und dann rot leuchten lassen ... Hm, aber konkret?" Inga schaute zu Sophie,

„Sophie, hilf mir, Fragen zu stellen und nach Antworten zu suchen: eigene Fragen und eigene Antworten! Und lass uns weiter Lieblingswörter sammeln, 'verkollern' zum Beispiel oder ,ultimatives Badeerlebnis' und lass uns weiter Neues ausprobieren: sowas wie Algenkuchen mit Guinness, okay?"

„Ich weiß zwar nicht, was jetzt mit dir los ist, aber gerne. Du gefällst mir so, Inga, und vielleicht, vielleicht glaub ich dir deinen Karl sogar."

Ingas Schatzkammer

Da es allmählich Frühling wurde, beschloss Inga, Kräuter zu pflanzen: Dinge entwickeln sich, wachsen. „Sie brauchen Zeit und Vertrauen und Wasser und Licht und Wärme ... wie ich ..." Immer öfter fand sie sich in Gedanken versunken irgendwo mit irgendetwas beschäftigt. Sie drückte die Erde fester in den Blumentopf.

„Brocken, die quer liegen, kommen fast immer zutage", dachte sie, lächelte und gab sich Mühe, die von draußen reingeholte Erde fein zu zerdrücken.

„Früher oder später tauchen sie auf, die Brocken", jetzt war Sophie wieder in der Nähe, und Inga war froh, eine Gesprächspartnerin zu haben.

„Erdbrocken können nützlich sein", Sophie zeigte mit der Tatze auf die Torfbriketts in der Ecke. Sie hielt es nie lange durch, Inga gegenüber zu schmollen. Auch, wenn sie dadurch deutlich zeigen konnte, wie sehr ihr die Aufbruchsstimmung missfiel.

„Geformte, gemachte Klumpen sind was anderes als Klumpen, die auftauchen und alles schwergängiger machen", Inga stocherte weiter in der Erde rum, „aber du hast Recht, Sophie, die Insel lebt – besonders hier an der Nordwestküste – außer von Wasser und Küste von diesen schwarzen Torfklumpen, ja: ,Unser weites Land ist Bog, der alles überzieht, zwischen den Blicken der Sonne'. Der Dichter Seamus Heaney hat das mal so ausgedrückt – schön, oder?"

„Sehr poetisch, Inga! Ja, Sprache kann schönfärben – Torfstechen ist allerdings Plackerei ... aber du warst bei einem ganz anderen Thema!"

„Nicht ganz, Sophie. Ich war dabei, darüber zu sprechen, dass früher oder später die Brocken auftauchen, auf welcher Scholle auch immer man sich gerade befindet, oder in wievielen Robinsonaden man sich auch aalen mag."

„Inga, kannst du eigentlich auch mal klar sagen, was du meinst? Deine Wortverliebtheit hin oder her, aber dieses rätselhafte Gerede geht mir auf den Wecker!"

„Und mir erst!" Sophie hatte James aus der Seele gesprochen, „Erde, Scholle, Briketts, dicke Klumpen, Wörter ... um was geht es gerade eigentlich? Und wann gehst du wieder Futter kaufen? Mir scheint, der Vorrat schwindet."

„Stimmt. Danke, James. Ich fahr nachher los – einkaufen für alle! Und was ich meine: Na ja, auf die grüne Insel Irland zu fahren und ‚blau machen', nicht zu arbeiten, weit weg von allem – das hat schon was. Aber die Sachen, die einen beschäftigen, stranden unweigerlich irgendwann."

Inga dachte an ihre Gespräche mit Ole: „All die Wurzeln, die hier angeschwemmt werden, der Müll, die Scherben und aber auch die dicken Brocken ... James, ich meine, dass mich das alles sogar noch in meinem Inseldasein erreicht."

„Was für ein Müll, welche Scherben, welche Brocken? Inga, bitte …!!!", James dachte an den Strand, wo er genau mit diesen Dingen so gern spielte.

„Hiersein ist Abgeschnittensein, Insel. Und auf einer Insel spürt man die Sehnsucht nach Festland, wie etwas, das man festhalten könnte im Fall von Überschwemmung, Sturm, Katastrophe …" Und als ob sie wüsste, was die Tiere jetzt gleich sagen würden, fuhr sie fort, „ja, das sind wieder Bilder, ich weiß! Ich denke in letzter Zeit oft an das, was zu Hause ungelöst war: schwelende Konflikte, Belastungen …"

„Davon hast du noch nie erzählt", Sophie wurde hellhörig und auch James schaute interessiert.

„Nein, ich wollte wohl ein bisschen wie Robinson Crusoe sein, allein schauen, wie ich zurechtkomme, ein bisschen stranden und rumgucken … aber ich bin nicht Robinson, sondern Inga. Und außer Kaminanzünden und Hühner misten …"

„… hast du nichts zu tun und deshalb denkst du an Brocken und Schwierigkeiten …", fuhr Sophie fort.

„Aber du telefonierst doch manchmal, schreibst wem auch immer und Paddy bringt dir Briefe, du mailst, smst … also: Das ist keine Robinson-Insel, ich versteh dich wirklich nicht", stimmte James ein.

„Is doch wieder nur ein Bild, James", Inga seufzte, „Ich mag jetzt nicht von Dingen zu Hause reden, das kommt früh genug."

Sie holte den Autoschlüssel,

„Einkaufszeit!" rief sie. Vor den Tieren geweint hatte sie schon genug. Jetzt wollte sie lieber etwas Praktisches tun.

Doch sie hielt inne. Ob Robinson, wäre er in Mayo gelandet, Torf gestochen hätte, ging ihr plötzlich durch den Sinn und laut sagte sie: „Dicke Klumpen, abgestorbene Erde können wärmen. Aber viel Arbeit machen diese Klumpen ..."

Vielleicht hätte es ihr gutgetan, Sophie und James ein bisschen mehr von sich zu erzählen. Das wäre irgendwie irisch: Iren erzählen von sich auch dann noch stolz, wenn es wenig zum Stolzsein gibt – es macht sie selbstbewusst. Sie dachte daran, wie viele Geschichten von Verlassenwerden, Trunkenheit, Armut, psychischen Ausnahmezuständen oder Tod sie schon gehört hatte, seit sie hier war, und wie viele irische Lieder und Geschichten genau davon handelten. Unvermittelt setzte sie wieder an:

„Robinson hat sich mit Freitag angefreundet und die Kannibalen ausgetrickst. Das ist Insel. Menschen wie Freitag versucht man auf dem Festland meist schnell loszuwerden."

„Jetzt reicht es aber – wir gehen Futter kaufen", bellte James.

„Wir ...", wiederholte Inga. Und lachte.

Da Inga selbst auch Hunger, aber keine Lust zu kochen hatte, nahm sie sich, als sie den Vorrat an Katzen- und Hundefutter zusammen hatte, die einzige Tiefkühlpizza aus der winzigen Gefrierabteilung des Ladens mit. Zu Hause setzte sie vor dem Aufbacken noch ein paar schwarze Oliven mitten auf die gefrorene Mischung aus Käseraspeln, winzigen Tomaten und undefinierbaren Gemüsestücken – eine selbstgebastelte Insel, stellte sie befriedigt fest und hätte am liebsten noch ein Sonnenschirmchen auf die Oliven drapiert.

James und Sophie hatten ihre Näpfe im Nu geleert, Sophie positionierte sich vor Inga, „soweit ich weiß, sind Inseln oft unterirdisch mit dem Festland verbunden ...“

„Du meinst, so wirklich gibt es das isolierte Inselparadies gar nicht?“

„Nee, jedenfalls sind Inseln selten so beschaffen. Aber Inga, dieses Auf-der-Insel-Sein lässt dir zumindest Zeit rauszufinden ... na eben, irgendwie was Wichtiges rauszufinden ... Nur was?“

Keiner wusste etwas zu sagen.

Aus der Küche kam ein beißender Geruch, „oh, das war wohl zu heiß, es riecht verbrannt!“ Inga stand auf, ging in den gegenüberliegenden Raum und öffnete die Ofentür. Ein Häufchen eingeschrumpelter Oliven auf einer verkohlten Pizza. „Das war die Inselidee“, Inga öffnete das Fenster.

„Frische Luft! Ich brauche unbedingt frische Luft. Auf Inseln ist die Gefahr zu ersticken Gott sei Dank kleiner als sonst wo. Dafür sind die Fluten, die auftauchen können, größer. Wer geht mit raus?“

Beide Tiere trotteten hinter Inga her. Sie schauten sich an und waren sich einig darin, dass sie Inga mochten und ihr helfen würden – wie auch immer, wobei auch immer.

In der Zwischenzeit hatte Paddy die Post ausgefahren; als sie wieder zu Hause waren, lag neben einem Brief von Natascha ein großer Briefumschlag, „oh, Karl schickt irgendwas", rief Inga. Es war ihr gleich, ob jemand sie hörte oder nicht. Sie las vor: „Ich habe mich deinen Freuden mal genähert, du erzählst ja so viel von ihnen!" Sie packte Malkartons aus. Die waren in weißes, knittriges Papier gepackt: Sophie und James waren da auf zehn verschiedenen Bildern zu sehen, immer anders, mal aquarelliert, mit Kreide und mit Buntstiften: Sophie auf ihrem Schoß, Sophie mit wildem Blick, James hungrig, James ratlos, Sophie, wie sie zuhörte, beide zusammen, wie sie sich berieten ...

„Oh schaut mal, das seid ihr!", Inga lehnte die Bilder entlang der Fußleiste an die Wand und setzte sich daneben auf den Boden.

„Eine Vernissage, Damen und Herren – dazu gibt es Milch für Sophie, ein Leckerli für James und einen Schluck Wein für Inga. Und jetzt hält Sophie die Einführungsrede", Inga freute sich.

„Das ist fies", erwartungsgemäß zierte Sophie sich aber nicht lange. Sie schlabberte genüsslich von der Milch und setzte dann an:

„Karl, ein deutscher Künstler aus dem näheren Bekanntenkreis unserer Inga, der sich zwar bislang noch nicht hier an die Küste gewagt hat, hat es aber nichtsdestotrotz gewagt, Porträts einiger wichtiger Cottagebewohner zu malen. Das Spektrum der Affekte, die der

Maler Karl den Porträtierten James und Sophie zuschreibt, hat sie möglicherweise in seiner Phantasie, angeregt durch die Erzählungen unserer Inga, breiter und ausdrucksstärker werden lassen als es die Tiere in Wirklichkeit sind. Nichtsdestotrotz trifft der Künstler die Lebendigkeit, mit der Hund und besonders Katze das Leben in Donmar Cottage begleiten, beschützen und bestimmen, sehr wohl. Er hat damit das wesentliche Element des Lebens seiner geliebten Inga erfasst: ihre Beziehung zu ihren Freunden James und Sophie."

Sophie verbeugte sich leicht, Inga klatschte und James bellte Applaus. Dann sahen sie sich die Bilder in aller Ruhe an. „Da guckst du richtig aggressiv, Sophie", James blieb bei einem Bild besonders lange stehen, „aber da ganz freundlich und schau, hier sind wir beide ratlos ... Inga, was geht dir eigentlich durch den Kopf?"

Inga hatte Tränen in den Augen, „Ich liebe euch, Hund und Katze, Karl und ich ... und überhaupt: Wenn ich euch alle nicht hätte ...! Die Bilder hängen wir hier auf, vorerst, aber wenn ich wieder fahre, nehme ich sie mit, denn ihr wollt bestimmt nicht weg hier."

„Du denn?", fragte James, und Sophie belehrte ihn, „Sie will zu diesem Karl und zu all den Leuten, die schreiben und anrufen und was weiß ich. Aber jetzt braucht sie uns erstmal. Manchmal müssen wir sie verteidigen und beschützen, beziehungsweise ihr beibringen, wie man sich schützt!"

„Sie braucht uns? Aber was können wir tun, um sie notfalls zu verteidigen?" James kratzte sich mit der Pfote am Kopf, „gefährlich knurren, dann meine Zähne zeigen und notfalls beißen!?"

„Ich kann fauchen und kratzen und zur Not kann ich zum Kratzen noch meine spitzen Zähne einsetzen. Aber Inga ist ein Mensch, das müssen wir übersetzen ...", Sophie überlegte, „was macht Inga eigentlich, wenn wir ihr zu weit gehen oder ihr irgendwas an uns nicht passt?"

„Sie beachtet mich nicht", fiel James ein, „sie ist dann sehr unfreundlich und hart zu mir", schob er hinterher. „Richtig", fand Sophie, „mir verbietet sie dann, mit ihr zu diskutieren oder sie schickt mich raus oder eben diese harten Worte wie ‚halt die Schnauze' oder ‚geht dich nichts an'. Ich glaube, das ist Zähne oder Krallen zeigen auf Menschenart ..."

Inga hörte den beiden zu, „Was zum Teufel ..."

Sophie versuchte, Inga eine Schale mit Nüssen zuzuschieben. Der Versuch misslang, die Nüsse rollten den Boden lang,

„gar nicht so einfach, das mit dem Bemuttern ...", Sophie seufzte, das Fragenstellen fiel ihr leichter: „Wenn du wie im Märchen drei Wünsche frei hättest, was würdest du dir denn wünschen, um stark zu sein, um mit schwierigen Situationen umzugehen?"

„Uff, Sophie, du stellst Fragen ... also, vielleicht jemanden, der erst einmal vorsortiert und filtert, wenn Geschichten mich überfallen und meine Gefühle Purzelbäume schlagen. Und zweitens, das Selbstbewusstsein einer Königin, die in ihrem Reich selbst die Regeln bestimmt und genau das durch ihr Auftreten verkörpert und drittens wünschte ich mir eine Galerie mit Bildern von euch, von Natascha und Benjamin und den anderen Freundinnen und Freunden und von Karl und von schönen Orten und besonderen Ereignissen. Einen ganzen Raum voll und dazu Gegenstände und Erinnerungen, die Kraft geben und Musikstücke ... eine persönliche Schatzkammer."

„Hast du gehört, Sophie, wir wären da auch drin, in Ingas Schatzkammer!?", James wedelte mit dem Schwanz.

„Als Bild James, als Bild – ich würde dich niemals einsperren ...", Ingas Augen schauten sehr ernst.

„Aber was spricht gegen so einen Raum? Vielleicht lassen sich da drin Ideen für komplizierte Situationen finden."

Inga lächelte und suchte dann Kehrblech und Besen, um die verstreuten Nüsse aufzukehren.

„Nüsse – Genüsse, harte Nüsse ...", sie fand zu ihren Wortspielen zurück, kehrte noch die letzte Nuss hinter dem Schrank hervor. „Ich hab Bandsalat im Kopf – ich geh jetzt schlafen", rief sie den Tieren zu und:

„Bandsalat ist sowas wie Festplattenstörung, Laufwerkirritation oder so ähnlich ... ein Wort von früher ... schlaft schön ... und: Danke!" Sie streichelte beide und ging ins Bett.

In der Nacht wachte Inga mehrmals auf, lief zur Küche, schälte sich einen Apfel, setzte sich an den Tisch, dachte nach, legte sich wieder ins Bett, wälzte sich von einer auf die andre Seite, und als sie endlich einschlief, war der Schlaf traumschwer: Mitten auf einem Fußballballfeld stritt sie sich mit ihrer Freundin Natascha um den Preis für eine Flasche Shampoo. Als sie aufwachte, musste sie erst mal die Traum-Schreierei voll gemeiner Worte abschütteln und wünschte sich, Karl läge neben ihr, um sich bei ihm ankuscheln zu können. In Wirklichkeit lag sie da allein, unausgeschlafen und fühlte sich, als sei sie noch immer mitten im Streit auf diesem Fußballfeld.

Das Shampoo in der Dusche ließ die Traumbilder erneut aufsteigen: „Kopf waschen, sich reinigen, einen klaren Kopf kriegen, Gedanken klären ..." Sie stellte das Wasser heißer, aber auf einem Fußballfeld? Zu einer Mannschaft zu gehören – um einen Ball konkurrieren – mitspielen wollen ... das Shampoo war teuer, es gab Streit ... welchen Preis hat das Ganze, wie viele Konflikte gehören dazu?

Sie frottierte die mittlerweile rotgeduschte Haut trocken. Etwas Spielentscheidendes passierte gerade, das hatte durchaus seinen Preis – sie brauchte einen klaren Kopf, so übersetzte sie ihren Traum fürs Erste und hätte was dafür gegeben, jetzt mit Natascha Kaffee trinken gehen zu können.

Sie zog sich an, kochte Kaffee und fühlte sich bereit für das, was der kommende Tag bringen würde ...

Im Bunten schwächeln

Ingas letzter Besuch bei Ole war schon eine ganze Weile her. Sie hatte Sehnsucht nach dem Tisch an seinem Fenster mit dem Ausblick auf die Wellen, nach dem Geschmack von Zimtschnecken mit starkem Kaffee, nach Oles Behäbigkeit, mit der er Dinge ordnete, sie in Worte setzte. Sein Vorrat an Kanelbullar war bestimmt längst aufgegessen, und er selbst mittlerweile in einer ganz anderen Verfassung. Inga zauderte eine Weile, machte sich dann aber doch auf den Weg. Die fragenden Blicke von James und Sophie ignorierte sie fürs erste, beließ es bei einem „ich bin zwei, drei Stunden weg. Passt gut auf!" und machte sich auf den Weg.

Der Frühling gab sich Mühe, in Erscheinung zu treten: Ginsterbüsche am Wegrand leuchteten, Narzissenköpfe sprangen auf und unter schwarzen Felsen erblühten wilde Primeln. Gelbe Farbflecke im nassen Graugrün, eine Übergangszeit.

Jemand hatte ein Pferd zum Weiden auf die Wiese kurz vor dem Küstenstreifen gebracht, dahin, wo sonst nur Schafe blökten. Das Pferd hatte einen tiefroten Mantel an. Als Inga am Zaun vorbeiging, begann es zu galoppieren.

Inga lief etwas langsamer und das erst recht, als sie Oles Cottage, direkt oberhalb des Küstenstreifens, erreichte. Dann fasste sie Mut, ging schnell über den Hof zur Hintertür und klopfte. „Come in", hörte sie Ole von weiter hinten rufen, und als sie die Tür öffnete, hörte sie

ihn schwedische Sätze sprechen, laut und leidenschaftlich, als diskutiere er etwas. Er klang fremd, völlig anders
als der Ole, den sie kennengelernt hatte.

Die Hintertür führte direkt in die Küche. Inga sah sich
um: Ein gefülltes Weinregal, eingelegte Heringe in einer
Tonschale, an einem Band aufgehängte Knoblauchze-
hen, ein benutzter Becher, Schalen, Krüge, Teller in
künstlerischen Formen und Farben auf dem Regal, an
der Wand ein Foto, auf dem ein Brautpaar zu sehen war.

„Komm rein. Ich habe geskypt"; Ole betrat die Küche,
sah sie kurz an, „soll ich Kaffee kochen?" Inga nickte. Es
fühlte sich gut an, jetzt hier zu sein.

„Der Weg zu dir hat Farbsprengsel bekommen",
setzte sie an,

„du meinst das Ginsterleuchten?", Ole holte statt der
weihnachtlichen Zimtschnecken jetzt irische Schokola-
denkekse aus seiner Blechdose, „nicht nur, auch ver-
frühte Osterglocken, Primeln und einen rotleuchtenden
Pferdebauch." Ole lachte, „Ingablicke! Der Gaul ist kost-
bar. Paudy ist der Besitzer. Ein Rennpferd. Bevor es nicht
richtig warm ist, kriegt das Tier die Decke um. Die Mei-
nungen gehen auseinander, ob die Tiere so was brauchen
oder nicht ... warst du mal bei einem Pferderennen?"

„Nee", Inga schüttelte den Kopf, „da bräuchte ich ja
einen Hut. Vielleicht einen, der auch so eine Leuchtfarbe
wie der Pferdemantel hat. Meinen Kopf küren, das wäre
ne Maßnahme! Der arbeitet ununterbrochen, auch
nachts: neulich hab ich von teurem Haarshampoo geträumt. Einen Hut fände ich attraktiver."

„Tut mir leid, damit kann ich nicht dienen. Nur ein paar alte Kappen ... aber vermutlich sähen auch die noch hübsch aus auf deinem Kopf. Also, was führt dich her?"

„Ole, einfach nur so, ich ... ich ...", Inga schenkte Kaffee ein, „deine Kanne gefällt mir. Ein Flohmarktstück?"

„Ja, in Sligo, auf dem Trödelmarkt. Du hast also kein eindeutiges Anliegen ..." Ole grinste, „na ja, ehrlich gesagt freut es mich, dass du mal einfach so vorbeikommst, irischer ist das allemal."

Inga hatte bislang die Bilder an Oles Wänden eher beiläufig wahrgenommen. Jetzt schaute sie genauer hin: „malst du?"

„Manchmal. Das ist von mir, und das ...", er zeigte auf ein großes Bild neben dem Kamin und ein anderes oberhalb der Tür zur Küche.

„Die leuchten!" Inga betrachtete die Formen, ließ die Farben auf sich wirken.

„Ich habe schon lang nichts mehr gemalt. Dranbleiben ist so eine Sache. Leuchten auch ...", Inga hätte gerne was gefragt, ließ es aber.

„Bei mir hängen jetzt Bilder von den Tieren", berichtete sie stattdessen, „zehnmal James und Sophie, immer anders. So hab ich sie auch dann bei mir, wenn ich hier wieder weg bin."

„Hm", Ole sagte nichts, und auch Inga war nicht danach zumute, weiter darüber nachzudenken, wie es sein würde, wenn sie diesen Ort verließ. Sie wechselte das Thema, erzählte vom Pubbesuch im Nachbardorf, der

Musik und den Leuten da. Das Gespräch plätscherte dahin, Inga vermied neue Tiefen.

„Sag mal, Inga, willst du nicht bald noch mal auf ein oder zwei Glas Wein vorbeischauen, ich hab neuen gekauft", Ole zeigte in die Küche, „der schmeckt zu zweit besser als allein."

„Gute Idee", jetzt grinste Inga, „tiefroten bitte, so wie der Pferdemantel ... Bis bald, Ole!"

Diesmal wartete Inga nicht lange. Am übernächsten Abend machte sie sich erneut auf den Weg zu Ole, diesmal sehr zielstrebig. Sie hatte etwas Käse eingepackt und Oliven. Als sie die auspackte, erzählte sie Ole von ihrer verunglückten Pizza-Oliveninsel und von James und Sophie, die ihr gute Ratschläge gaben, wie man sich schützen könne.

„Gar nicht so blöd, die beiden." Ole nickte anerkennend, „schau, ich habe grad meine Schuhe imprägniert. Die Lederoberfläche wird wasserdicht, wenn man absichtlich alle Poren verklebt. Das hält eine Weile das Eindringen, von Wasser in diesem Fall, ab. Sensible Naturen wie dich sollte man auch ab und zu mal imprägnieren!"

„Iiiih, verklebte Poren – nein danke! Das Zeugs stinkt außerdem erbärmlich", Inga schüttelte sich, „aber ich habs verstanden. Im Übrigen könnte ich von dem Imprägnierspray was gebrauchen – für meine Schuhe, versteht sich ... Und da ich meine Poren nicht dicht zu machen gedenke und auch keine Zähne habe wie James, werde ich wohl das ein oder andere aushalten müssen."

„Na ja", Ole schenkte Wein ein,

„was möchtest du denn ändern, oder was denkst du aushalten zu müssen?"

„Meine durchlässigen Poren will ich aushalten und die Tatsache, dass Dinge, Situationen, Verhältnisse und Menschen anders sind, als ich mir das vorstelle oder wünsche. Und ändern würde ich gern ... hm?" Inga überlegte eine Weile, „den Umgang mit Widersprüchen würde ich gern ändern und meinen Umgang mit Dingen, die mir wichtig sind und meine Prioritätenliste vielleicht."

„Aha ... Ingas Liebe zum Abstrakten ..." Ole steckte sich ein Stück Käse in den Mund, „lecker! Cheddar mit Cranberrys, auch rote Farbkleckse ...", Inga nahm sich ebenfalls ein Stück,

„na ja Ole, unsere Familiengeschichten und die Vergangenheit und die Konstellationen, wie sie jetzt sind – da ist wenig dran zu ändern. Aber wie man damit umgeht, daran lässt sich vielleicht doch was ändern. Wie selbstbewusst man von Dingen redet, die ein bisschen anders sind oder wie deutlich man das lebt, von dem man überzeugt ist."

„Inga, das ist schon wieder völlig abstrakt!"

„Oh, Ole ... Ich bin, seit ich aus Dublin wieder da bin, permanent mit mir selbst im Dialog, über Dinge, über die ich nur schwer reden kann ..."

Ole füllte die Gläser nach, „egal, genießen wir einfach den Abend!"

Inga schwieg, hörte der Musik zu, die Ole anstellte: Jan Garbarek, ein Norweger, „der erzählt mit seinem Saxophon von solchen Dingen, vom schwer Sagbaren, oder?", fragte Ole.

Inga nickte.

„ Genau! ‚Red Wind' heißt dieser Titel, passt zu rotem Pferd und rotem Wein ..."

Inga nahm den Faden auf „und roter Leidenschaft, die man verfolgen kann. Und rotem Blut und roten Lippen und dem roten Faden, den ich immer wieder suche ... vielleicht bin ich auch manchmal einfach zu feige, zu reden." Sie lehnte sich zurück.

Ole ergriff das Wort: „Es gab eine Zeit, da war ich so sauer, dass mein Vater mich verlassen hat ... na ja, ich hab dir ja davon erzählt. Ich bestand quasi nur aus Wut. Rot vor Wut passt übrigens auch." Ole stellte „Red Wind" auf repeat.

„Jetzt hat es uns hierher geweht und dich weht es wieder weg. Schade, Inga ... das hatten wir schon, ich wiederhole es trotzdem ..."

„Ja, Ole, das hatten wir schon. Die Spanne werd ich aushalten müssen ..."

„Welche Spanne?"

„Die Zeit- und Raumspanne. Es wird sich so anders anfühlen, das Leben zu Hause; ein anderes Gefühl für Zeit, ein anderes Bewegen in der Stadt, in Straßenbahnen, Zügen, Büros ... Ich werde das Meer vermissen und das Grün und die Weite, die Luft und das Leben nur nach meinem Gespür ..."

„Und wovon träumst du? Wie und wo würdest du leben wollen? Was wäre der Leuchtpunkt, das Highlight schlechthin, könntest du es kreieren oder könnte ich dich dorthin zaubern? Also: simsalabim ...!"

Inga lachte, „oh ein Cottage mit Olivenbaumgarten an einer wilden Küste in Frankreich oder Spanien oder Portugal oder Italien ... und ein Zimmer für mich allein und nette Leute vor Ort. Ich glaube, ich hätte Karl gern dabei und Zeit hätt ich gern. Viel Zeit, zum Geschichten schreiben, zum Lesen und um zu erkunden, was mich interessiert und Geld genug ... vielleicht ein kleiner Job wegen des Dazugehörens: etwas organisieren oder vermitteln oder verkaufen ... warum nicht wieder Hühner und Eier, das ist gar nicht so schlecht."

„Dann kannst du auch bleiben", Ole schaute sie an.

„Nein, kann ich nicht. Ich hab weder genug Geld, noch würde ich den vielen Regen aushalten ... Du hast nach meinen Träumen gefragt!"

Draußen war es sehr dunkel geworden, und es kostete Überwindung, sich auf den Weg zu machen. Inga verabschiedete sich betont kurz, „Sentimentalitäten kann ich steuern", der Satz blitzte in ihr auf, er wirkte schwach, aber er wirkte: Sie ging weiter und nicht zu Ole zurück. Auch der Schein der Taschenlampe war schwach, sie musste den Akku laden, „Energiereserven reichen immer nur begrenzt", war die nächste Erkenntnis, die ihr unterwegs einfiel, kurz bevor sie an etwas stieß, das im

Weg lag, stolperte und bäuchlings auf dem nassen Boden landete.

Es tat sehr weh aufzustehen, die Handinnenflächen schmerzten, die Handgelenke waren gestaucht, die Knie brannten, die Hose war vermutlich kaputt. Inga biss die Lippen zusammen, humpelte weiter, alles schmerzte, sie konnte die Taschenlampe kaum halten.

Kurz vorm Haus kam James ihr bellend und schwanzwedelnd entgegen, „wo warst du so lange?" Dann roch er das Blut, „was ist passiert, Inga?"

Sophie hatte das Bellen gehört und stand nun auch da, „oh Inga, lässt man dich einmal allein! Du hast dich verletzt!"

In der Nähe der beiden konnte Inga nicht mehr an sich halten; die Tränen liefen immer haltloser,

„komm, es ist nicht mehr weit bis nach Hause. Du musst dich verarzten." Sophie hatte einen strengen Ton, sie war es auch, die das Päckchen mit Verbandmaterial aus der Badezimmerecke beförderte und vor sich her in die Küche schubste, wo Inga sich ihre Beine und Hände besah ...

„Aua ... geschürft und gestaucht und ein Knie offen ... wie früher als Kind. Also reinigen und Pflaster drauf ... Au, das tut so weh ...",

„wenn es so ist, wie du sagst, wirst du es aushalten. Und wenn es schlimmer ist, musst du einen Arzt anrufen oder die Ambulanz."

„Nein, das halt ich aus. Es gibt schlimmere Schmerzen. Die Ambulanz ist für andere da", Inga dachte an Mary.

„Du riechst nach Wein", stellte James fest.

„Rotwein bei Ole – sonst noch Fragen?", Inga versuchte, die Oberhand zu behalten. Es gelang ihr kläglich.

„Soll ich den holen, den Ole?"

Inga wusste nicht, ob sie Sophies Gespür gut- oder schlechtheißen sollte, „nein, du holst ihn nicht! Ich koche jetzt Tee, wisch die Blutflecken hier auf und geh ins Bett."

„Du gehst direkt ins Bett und das Blut wird James gern auflecken, wie ich den kenne", Sophie übernahm wieder das Kommando. Und Inga legte sich hin. Knie und Handballen pochten, sie fühlte sich wie ein Kind, das jetzt eine Mama bräuchte. Inga suchte ihr Handy, legte es wieder hin, beschloss, die Sache nicht so wichtig zu nehmen. Das gelang ihr nicht wirklich. Sie weinte sich in den Schlaf.

Pferdestärken und Küchenwohligkeit

Als sie am nächsten Morgen in die Küche humpelte, hatten James und Sophie schon mit vereinten Kräften versucht, Tasse und Teller auf den Tisch zu stellen, und Sophie sprang jetzt auf die Anrichte, wo der Wasserkocher stand und bediente den Hebel, „ausnahmsweise", sie zwinkerte Inga zu, wohl wissend, dass sie dort nichts verloren hatte.

Inga seufzte, „ich weiß wirklich nicht, was ich ohne euch machen würde!"

„Noch musst du uns eine Weile aushalten",

„oder wir dich", James hatte die dauernden Wortwechsel zwischen Inga und Sophie satt. „Ich finde, dein Gehumpel ist das richtige Tempo, um draußen ein paar Fotos zu machen. Die Farben von heute und ein paar Stimmungen aufnehmen ... vielleicht wirst du irgendwann eine Ausstellung machen: ,Mein Leben an der irischen Küste' oder so ähnlich."

Inga war sichtlich überrascht von James. „Gute Idee, Respekt! Aber nicht weit laufen. Meine Beine tun weh und überhaupt ... Ich möchte Bilder von diesem Pferd mit dem roten Mantel, Pferdestärke festhalten, versteht ihr?"

Sophie schüttelte den Kopf, „Ich dachte eher an Ginsterbüsche oder Narzissenknospen",

„und ich an Meeresstimmung und Strandfindlinge o-
der Wolkenbilder, aber nicht an einen Pferdemantel", bekräftigte James.

„Das eine schließt das andere ja nicht aus", Inga
suchte ihre Kamera. Das Überstreifen der Jacke
schmerzte ebenso wie das Bücken zum Schuhe zubin-
den, „wie eine alte Oma".

Paddy kam mit der Post genau in dem Augenblick, als
die drei das Haus verließen. Ein Brief ihres Arbeitgebers
war dabei, „Den öffne ich später, wer weiß: Ein Unglück
kommt selten allein. Ich will jetzt fotografieren. Also, lie-
bes Kamerateam, auf gehts!"

„Schau, diese Blüten, jede in einem anderen Stadium,
von hier aus sieht diese Gelbgrünvariation im Aufbruch
unglaublich aus!" Sophie sprang um eine Ansammlung
von Narzissen herum. James schaute in die Luft, „wie ein
Vorhang schiebt sich da eine weiße Wand vor den blau-
gestreiften Himmel, Inga halt das fest!" Er wedelte mit
dem Schwanz, „und dort hinten, da spiegelt sich diese
kleine Wolke in der Riesenpfütze da, wie ein Ungeheuer
im Wasser sieht das aus!"

„Hey ihr beiden, und schaut mal da, der Streifen Meer
am Horizont, fast ein bisschen rot", Ingas Fotopalette an
Blau-Grün-Grau-Variationen mit gelben Frühlings-
sprengseln erweiterte sich an diesem Tag beträchtlich.
„So viel Spaß haben wir schon lang nicht mehr gehabt –
und das direkt vor der Haustür. Einfach nur sehen!" Sie
beugte sich über einen besonders schön gemaserten
Stein. „Autsch …", sie richtete sich wieder auf, „jetzt

noch das Pferd, dann reicht es mir für heute." Sie liefen zur Schafsweide, auf der erwartungsgemäß das rot bemantelte Pferd stand, als habe es sie erwartet. Inga humpelte näher ran, fotografierte die Decke, das ganze Pferd, den Rücken, wechselte mehrfach die Perspektive, bis James plötzlich bellte und wegrannte, als ginge es um sein Leben.

„Füchse oder zumindest einer", Sophie schüttelte den Kopf, „dann wird er verrückt!"

Inga hörte auf zu fotografieren, „lass uns zurückgehen. Ich glaube, mein Knie blutet auch wieder. James!!!" Sie schrie so laut sie konnte, es tat ihr gut. „James!!!"

Der schoss förmlich heran. „Ich muss nach Hause, sonst macht der Fuchs sich an die Enten ran ... Entschuldigt mich, ich renne vor. Take care, Inga", und schon war er weg.

„Ihr macht beide, was ihr wollt." Inga schüttelte lächelnd den Kopf, „eigentlich gut so", murmelte sie und steckte die Kamera in ihren Rucksack, „auf geht's!"

Sie war stolz auf ihre Aufnahmen. Aber bevor sie die noch einmal näher unter die Lupe nahm, machte sie sich dran, ihre Knie neu zu verbinden, „rotes Blut, rote Decke ... rot, rot, rot ... Ich seh nur rot." Sie schaute auf den ungeöffneten Briefumschlag.

Ihre Firma sei finanziell sehr in Bedrängnis und stehe vor der Notwendigkeit, Stellen abbauen zu müssen. Ihr Vertrag ginge ja nach der Beurlaubung weiter, man wolle sie aber angesichts der heiklen Situation fragen, ob sie tatsächlich wiederkommen wolle, las sie in dem Schreiben.

„Die wollen mich loswerden, Sophie!"

„Quatsch, denen geht der Hintern auf Grundeis, und jetzt gucken sie, wie sie den Laden retten können, das gilt dir kein bisschen persönlich."

„Trotzdem wollen sie mich loswerden."

„Dann bleibst du eben hier. Wir wollen dich nicht fort ..."

„Sophie, red keinen Quatsch ... Aber du hast recht, die sind finanziell auf die Schnauze gefallen; bumm, so wie ich gestern und jetzt müssen sie langsamer gehen, kleinere Brötchen backen ... Und ich??"

„Du musst rausfinden, was du willst, das willst du doch sowieso."

„Oh, Frau Schlauberger wieder ...", Inga stellte sich einen Stuhl so hin, dass sie ihre Beine hochlegen konnte. „Was würden meine Kollegen, meine Freunde" – sie dachte dabei besonders an Benjamin, Ben, der sie bestimmt vermisste – was würden die wohl meinen?"

„Erstmal musst du selbst was meinen", Sophie hatte offensichtlich ihre Gedanken erraten.

„Bitte Sophie, geh zu James, hilf ihm beim Entenhüten. Ich will allein sein!" Inga schaute der Katze hinterher.

Dann nahm sie sich ein großes Blatt Papier: „Pferdestärke" schrieb sie darauf. Woher würde sie die nehmen, angenommen, sie verließe bald die Firma? Ihrer Unruhe entsprangen Ideen: Sie könnte eine Fotoausstellung machen, eine Geschichte schreiben, einen beliebigen Job annehmen, Taxi fahren, nochmal verreisen, länger bleiben und ein Cottage kaufen, in ein anders Land ziehen, ans Mittelmeer oder irgendwohin sonst in die Wärme, etwas studieren, Kurse belegen: Literatur, Film, Natur, Länder, Menschen, eine Weltreise machen ... Uff! Weg mit der Firma! Nur: Bei einem finanziellen Desaster gab es wohl keine Abfindung, in Millionenhöhe schon gar nicht ...

„Ich werde die kreative Ungewissheit frei herumlaufen lassen und nur nachts einsperren, damit sie mir nicht den Schlaf raubt", schrieb sie auf und schaute aus dem Fenster nach draußen, wo James und Sophie Enten und Hühner jagten. Dann holte sie die Kamera hervor und bestaunte ihre Bilder: „Farbtupfer wahrnehmen und schauen, was sie machen, wie sie sich entwickeln ...", sie humpelte zur Tür. Es gab keinen Grund, Sophie oder James auszusperren.

Die kluge Katze kam auch sofort wieder in die Küche, es schien ihr keine gute Idee zu sein, Inga allein zu lassen.

„Sophie, ich denke über die roten Farbklecksbilder und James' Idee mit der Fotoausstellung nach. Ich muss aber mit meinen Ideen noch eine Weile schwanger gehen. Deshalb werde ich mir jetzt erstmal eine Schürze umbinden und wieder Pizza backen. Das mögen wir alle und die letzte war erstens eine aus dem Tiefkühlfach und ist zweitens nun mal verbrannt. Und wenn ihr nichts dagegen habt, lade ich Ole ein, in Ordnung?"

„Wenn er danach auch wieder geht ...", feixte Sophie.

Inga suchte die Schürze, die sie irgendwo zwischen den Geschirrhandtüchern gesehen hatte. Backen war eine Schürzentätigkeit – Mehlstaub und Teig am Bauch abzureiben gehörte ebenso dazu wie der Duft aus dem Backofen und das Gemisch von Eierschalen, Teigresten und Löffeln auf dem Tisch.

„Hoffentlich bleibt unser Schürzenjäger dann weg", James wurde keck, er hatte gute Laune, offensichtlich gefiel ihm die Aussicht, Pizza zu essen,

„wie kommst du denn auf den? Den jagen wir fort! Aber der wird wohl kaum noch mal herkommen!" Inga band sich die ausgebleichte Schürze um.

„Du musst Mehl abwiegen", Sophie sorgte dafür, dass Inga nicht ihren Träumereien nachhing,

„stimmt, und Hefe und Salz raustellen und Käse reiben und Tomaten schneiden, ... 'Butter und Salz, Gott erhalts ...' Oh meine Güte, dieser kleine Unfall gestern macht mich ganz konfus: Gehirn auf Retro gestellt. Also Hefe, Salz ..."

„Na ja, die Superbäckerin warst du noch nie ...", James lief vorsichtshalber gleich aus der Küche raus, Inga nahm den Kommentar gelassen, „im Ernst ihr Lieben, mein Hirn ist in Ordnung, aber mein linkes Handgelenk tut höllisch weh. Wenn das morgen nicht anders ist, lass ich mich röntgen. Wird schwierig, in ein Krankenhaus zu fahren mit dem Auto", sie bemühte sich, den Teig möglichst ohne Zuhilfenahme der linken Hand zu kneten,

„beim Röntgen, die haben auch Schürzen um", bemerkte Sophie, „Bleischürzen – schön schwer, so magst du's doch ..."

„verbleite Steine hatten wir ja schon ..." James mischte sich ein, „aber erst Pizza essen! Und wenn du mit der Hand nicht steuern kannst, macht es ja großen Sinn, dass Ole dich im Zweifelsfall hinbringt, also laden wir ihn ein."

„Ich lauf mit den kaputten Beinen aber nicht bis zu seinem Cottage", Inga wusste nicht, ob sie es immer noch eine gute Idee fand, Ole einzuladen. „Knieverband und Schürze, ich weiß nicht ...",

„och, Frau Lonely-Rider hat sich wehgetan und kocht, das kann der schon nachvollziehen. Ich kann ja hinlaufen. Kommst du mit, James?"

Ohne Ingas Antwort abzuwarten, liefen die beiden los. „Mama mia", Inga fühlte sich weder der Pizzabackaktion noch sonst irgendwas gewachsen. Sie stellte den Ofen an, holte Käse und Tomaten aus dem Kühlschrank, schnitt eine Zwiebel. Sie wischte die Tränen nicht ab. Es tat ihr gut zu weinen, Zwiebeltränen, Schmerztränen, Ohnmachts- oder Überforderungstränen und Sehnsuchtstränen, sie hielt sich die Schürze vors Gesicht, „„Mama mia!": Das könnte der Name für ihre Pizzeria sein. Schade nur, dass sie sich nicht besser aufs Pizzabacken verstand.

Als etwas später James und Sophie, gefolgt von Ole, die Küche betraten, war der Tisch gedeckt, ein verlockender Geruch nach Oregano und geschmolzenem Käse lag in der Luft und Inga fand sich frischgemacht und unbeschürzt stark genug, um die drei mit einem herzlichen „welcome!" zu begrüßen.

„Ich habe nochmal Wein mitgebracht. Du musst ja nicht nach Hause laufen", Ole stellte die Flasche auf den Tisch, „Danke für die Einladung. Darf ich deine Hand mal sehen?" Inga streckte sie nach vorne. „Hm, dick und blau. Vielleicht nur gestaucht. Hoffentlich." „Aua", Inga tat die Berührung weh, „setz dich lieber!"

„Ein Servierschürzchen hab ich nicht und kann euch auch sonst einhändig schlecht bedienen, also bitte Ole, kannst du das Blech auf den Tisch stellen?"

„Gerne, und weißt du, wo sie wirklich Servierschürzchen tragen? In Traceys Café in der Stadt. Die haben zudem den leckersten Cranberrycake weit und breit. Also, wenn du tatsächlich geröntgt werden willst, machen wir dorthin einen Abstecher und wenn nicht, dann fahren wir sonst wann mal dahin."

„Ohne uns natürlich", unkte Sophie.

„Schaun wir mal, vielleicht so eine Art Abschiedsfahrt", Inga schenkte Wein ein, schickte die Tiere raus und erzählte Ole von dem Brief ihrer Firma.

„Hm, das lässt doch viel Spielraum, um deine eigenen Brötchen zu backen", Ole zeigte keinerlei Besorgnis, „alles offen für dich, und zudem ein Mann, der wartet, ohne dass er dir am Schürzenzipfel hängt, was willst du mehr?"

„Ich hab Angst, auf die Schnauze zu fallen."

„Das passiert hier auch!", lachte Ole, „schau dich doch an. Kann ich noch ein Stück Pizza haben? Wir sollten darüber nachdenken, wie wir deinen Abschied gestalten. Okay? Das lassen wir ein bisschen reifen, und morgen komm ich und schau, ob du ins Krankenhaus zum Röntgen musst. Jetzt legst du dich besser hin, du siehst müde aus."

„Ja ‚Mama mia!", Inga war dankbar. Sie brachte Ole zur Tür.

Dann saß sie noch eine Weile in der Küche und träumte von Schürzen und Küchen und der ihnen innewohnenden Wohligkeit, malte sich aus, wie sie eine Küche gestalten würde, wo sie mit dem Liebsten am Tisch säße – um zu reden, um anzukommen von hier und dort, wo Platz wäre für Kräuter und Geschirr, Pfannen, Töpfe und Messer. Er würde sie gern bekochen, das wusste sie, und dachte an Risotto mit frischen Erbsen, Thymiansuppe und gebratenen Fisch.

Möglicherweise war es diese Küchenwohligkeit, die Inga auf einmal tief und fest schlafen ließ; kein Zweifel, die Atmosphäre hatte etwas Beschützendes. Es war gut.

Ihr Handgelenk war abgeschwollen und ließ sich besser bewegen. „Ich werde kein Röntgen brauchen", verkündete sie am Morgen, „sagt bitte Ole Bescheid, er braucht nicht zu kommen."

Inga setzte sich an den Tisch und las noch einmal den Brief ihres Arbeitgebers. Dann nahm sie einen Bogen Papier und ihren Füllfederhalter, setzte ihre Kontaktdaten darauf und schrieb dann: „Hiermit kündige ich zum nächstmöglichen Zeitpunkt", unterschrieb, faltete das Papier und steckte es in einen Umschlag, den sie auf das Regal hinter die Tassen stellte. Dort sollte er ein paar Tage stehen. Vielleicht würde sie ihn abschicken. Vielleicht auch nicht.

Sie schaute auf die Wörterliste, die neben dem Schreibplatz hing – „home is another place", prangte ihr da entgegen. „Wo?", wollte sie schreien: „Wo, wo, wo??"

„Words and birds", stand darunter. Diese Wörter waren keine Antwort, aber sie trösteten Inga. Ole kam herein, „ich lasse mich nicht abwimmeln, ein bisschen nach dir zu schauen, scheint mir sinnvoll. Also, was macht die Patientin?"

„Hand glimpflich, Knie neu gepflastert, gut geschlafen und gekündigt, Herr Doktor",

„Gestern war ich noch Mama mia", brummte Ole, „gekündigt?"

„Nicht abgeschickt, gut Ding braucht Weile. Aber gerade habe ich mal ausprobiert, wie eine Kündigung klingt."

„Hm. Dann könntest du ja bleiben? Nein, kannst du nicht, ich weiß, dein Karl ... ich hoffe, er trifft annähernd das, was du dir da ..."

„Überlass das mal mir, Ole, oder Karl und mir – das ist eine andere Geschichte. Aber hier Abschied zu nehmen, darüber wolltest du mit mir reden."

„Jetzt verordnet dir der Doktor ein paar allerletzte Genusstage, hattest du das nicht auch vor? Also: spazieren gehen, scones essen, Blumen bestimmen, fotografieren, lesen, schlafen. Zur Not nochmal bei Ole vorbeischauen ...", er schmunzelte, „so was ist jetzt dran, und die Kündigung lässt du ein paar Tage stecken!"

„Okay, Herr Doktor, aber zerreißen werde ich sie auch nicht. Ole, ich melde mich wieder. Ich seh erst mal zu, dass sich meine Glieder wieder normal anfühlen. Danke für alles ...", Ole wollte widersprechen, besann sich aber rechtzeitig eines Besseren und ging einfach.

Inga suchte Sophie; die war nirgendwo zu finden.

„James, wo ist Sophie?"

„Auf Katerjagd, nehme ich an", James hatte vor Inga begriffen, was mit Sophie los war, die in den letzten Tagen mit auffällig glänzenden Augen durch die Welt gelaufen und auch nachts recht ruhelos gewesen war. „Stimmt, könnte sein", Inga dachte an das schreiige Miauen, das sie in den letzten Nächten gehört, aber ignoriert hatte. „Na, dann kann ich sie ja erst mal vergessen, meine rollige Sophie ...", Inga schmunzelte, „mich auch", schob James hinterher, der weder Interesse noch Lust hatte, mit Inga längere Gespräche zu führen. Inga zog die Brauen hoch. „Okay, ich geh ein Stück alleine raus, mal schauen, wie weit ich komme. Das muss ich sowieso bald, und du musst die Enten bewachen, mein Lieber!"

Sie lief langsam die Searoad runter, dachte an ihre ersten Spaziergänge dort, wie eng ihr die Straße damals vorgekommen war, die Schlaglöcher, die fehlende Beleuchtung. Sie ging an dem Futtersilo des benachbarten Landwirts vorbei, das ihr anfangs wie eine Abschussrampe vorgekommen war. Wie sehr hatte sie sich an all das gewöhnt, wie schön war es, den gleichen Weg nun gesäumt von Narzissen und Ginster zu betrachten, den vorbeischauenden Autofahrern zu winken, wie gerade, es war der Plumber, der Klempner, er hieß Gordon. Sie hatte ihn einmal gebraucht, als die Klospülung sich nicht stoppen ließ. Mit Gordon war ihr das erste Mal ein nicht klar identifizierbarer Wortschwall – war es Englisch oder Gälisch? – ins Haus geschwappt. Er hatte ihr die technischen Details der Klospülung erklärt. Wo Inga herkomme, hatte ihn interessiert. Germany würde er nicht kennen. Inga vermutete, dass er noch nicht viel weiter als bis in die nächste Stadt, nach Ballina, gekommen war. Die jungen Leute würden alle wegziehen, hatte er bedauert und angemerkt, dass der Ort hier „very quiet" sei.

Sie dachte an all die anderen, die sie noch kennengelernt hatte:

Sue, die Algensammlerin war ab und zu vorbeigekommen. Sie hatte den Ginger-Kuchen gebracht, immer gern ein paar Eier mitgenommen und ihr von der Heilkraft der Algen erzählt: verwertbar als Tee, Badeessenz, Creme, pulverisiert als Dünger und vermutlich noch zu mindestens zehn weiteren Dingen. Sue trug meist einen abgetragenen Regenmantel über der fleckigen Hose und den Gummischuhen, sowie stets einen wetterfesten Hut. Ihrem kleinen, weißen Auto sah man an, auf welch verwegenen Pisten es für gewöhnlich fuhr. Wenn sie bei

Inga anhielt, begann sie meist mit einem piepsigen „just to see if everything is alright". Wortlos hatte sie Inga ab und zu geholfen, die Hühnerställe zu versetzen, damit die Tiere das frische Gras ein paar Meter weiter hinten picken konnten. Manchmal winkte sie nur kurz im Vorüberfahren – vielleicht unterwegs, um an einem besonderen Ort ganz bestimmte Algen zu finden.

Inga setzte sich neben die Pumpe des Landwirts; die war rot angestrichen, ähnlich rot wie der Pferdemantel oder viele der Türen, möglicherweise verkollertes Englischrot.

Dann gab es da noch Kate, die Verkäuferin in dem Laden, in dem Inga immer Milch oder Butter geholt hatte, wenn sie das in der Stadt vergessen hatte, eine bleiche, schmalgesichtige Person, „how lovely to see you", sagte sie stets und winkte den Kundinnen nach wie guten Freundinnen. Sie wohnte im Ort und war vermutlich auch da geboren. Sie kannte das Meer und das Wetter und die Leute, deren Bedürfnisse, die kleinen Belange zwischendurch. Sie liebte Glitter und süße Musik. Sie hatte dafür gesorgt, dass ein Minicaféautomat im Laden aufgestellt worden war und auf Wunsch bereitete sie für durchfahrende Touristen Toasts zu. Die kleinen Plastikeimerchen an der Theke mit den Variationsmöglichkeiten für den Belag: Käseraspeln, Gurken, Mayonnaise, ham und Zwiebeln sahen aus, als würden sie selten geöffnet. Ihr durchdringendes „lovely to see you" prägte sich ein und Inga überlegte kurz, mit welchem Zungenschlag Kate wohl Ole verführt hatte. Es gelang ihr kaum, sich das vorzustellen.

Dann waren da auch noch Paddy, der noch immer Angst vor James hatte, wenn er sein kastenförmiges Postauto verlassen musste, ein paar Spaziergänger am Strand, meist mit Hunden, Owen und seine Colliedame nicht zu vergessen. Inga hielt in ihrer inneren Aufzählung inne und dachte an den Muschelabend, dann ließ sie ihre Gedanken schnell weiterziehen. Ihre unmittelbaren Nachbarn und Vermieter, die Eigentümer des Cottages, hatte sie selten zu Gesicht bekommen: Jolie und Dave waren zu oft unterwegs, hatten Inga die Tiere anvertraut und waren weggefahren.

Die beiden hatten sich vor langer Zeit zusammen diesen Ort an der Küste ausgesucht. Eigentlich war es Jolies Idee gewesen. Jolie: lange Haare, die sie nur schwer bändigen konnte, und ein lebhaftes Gesicht, das unschwer ihr Feuer erkennen ließ. Ihre drahtige Figur, die sie, wenn ihr der Sinn danach stand, mit verspielten Kleidungsstücken, „Findlingen", wie sie sagte, schmückte. Das alles lenkte gekonnt von ihren Augen ab, die nicht selten traurig schauten. Jolies Lebenshunger war groß. Sie hatte den Beamtenschreibtisch aufgegeben, um ihr „eigenes Ding" zu machen: Jolie war eine, die viel las, forschte, redete, managte. Manchmal schien sie müde zu sein. Einmal war sie lange bei Inga in der Küche sitzen geblieben, hatte von sich gesprochen: von ihrer Familie, ihrem Leben. Jolie hatte gelernt, zurecht zu kommen. Die Arbeit in einer Behörde hatte ihr Einkommen gesichert. Dann lernte sie Dave kennen, die beiden verliebten sich: Dave, der Hühner- und Entenfarmer. Und sie.

Dave war ein Gemütsmensch, der es genoss, mit seiner spröden, irischen Jeanne d'Arc namens Jolie den Wild Western Way entlangzufahren, in kleinen Hotels zu übernachten, bummeln zu gehen, gut zu essen, Zeit zu haben. Inga hatte erfahren, dass seine zehn Brüder und er früher eine eigene Fußballmannschaft im Ort gebildet hatten. Er war der zweitjüngste, gewohnt, dass man nicht viel Aufhebens um ihn machte, gewohnt, sich sein kleines Glück selbst zu stricken. Manchmal sah Inga ihn lange in Schweigen versunken, um dann kurze, aber tiefe Kommentare von sich zu geben: „take your time" im richtigen Moment oder „you have to get used to the change". Bei Dave mussten die Dinge ihre Ordnung haben: Die Eimer mit Futter gehörten ebenso in einer bestimmten Reihenfolge in den Schuppen gestellt wie die Tassen in den Schrank und den Spaten stach er so lange zwischen die beiden Hühnerhäuser, bis er akkurat in der Mitte steckte.

Dave spielte Akkordeon. Nur dann, wenn er in Stimmung dazu war. Und das war selten. Er fuhr weit, um Musikveranstaltungen zu besuchen und gehörte samstags zu den Stammgästen im Pub der Stadt, in dem einer seiner Freunde regelmäßig herzzerreißend sang.

Inga hatte, während sie so über die Bewohner der Searoad nachdachte, plötzlich den Wunsch, Nachbarn zu haben, nein Freunde, Menschen zu sehen. Hier ein Schwätzchen halten, dort einen Witz hören, etwas Neues erfahren oder sich einfach nur zulächeln oder winken, das alles mit Leichtigkeit – das wäre schön!

Sie hatte auch Sehnsucht nach Birte und Silke, den Kolleginnen, mehr noch nach Freundinnen und Freunden. Sie dachte an Benjamin, dem sie manchmal schrieb.

Hier wollte sie bald Brigid besuchen, weiter täglich ans Meer gehen – mit einem Abstecher zu Ole – und noch einmal wandern.

Sophie sollte ihren Kater finden und James den vorbeifahrenden Autos hinterherbellen. Es wäre gut so.

Inga humpelte zurück. Die Sonne wärmte bereits, die Vögel zwitscherten laut.

Sie sang mit und erfand Worte zu ihren Melodien, immer mehr Worte.

Juckhaut

Inga schickte den Brief an ihre Firma nicht ab. Sie würde zu Hause weitersehen, sagte sie sich - immer dann, wenn ihr Blick auf den Umschlag fiel. Stattdessen schrieb sie ihrer Freundin Natascha, dass sie sich auf sie freue und Lust habe, mit ihr zu reden, auszugehen, zu tanzen.

„Inga, wo bist du?" fragte Sophie, als sie Inga so in Gedanken versunken sitzen sah,

„keine Ahnung, Sophie. Unbestimmte Stille. Ich bereite vor, was kommt."

Sophie fragte nicht weiter nach, „ich versteh dich nicht, Inga. Aber du siehst irgendwie klar und kraftvoll aus. Anders, als wenn du immer so schrecklich viel redest."

Inga streichelte die Katze. „Ich habe nichts in der Hand", Inga hörte unwillkürlich mit dem Streicheln auf, sie fühlte ihre Haut. Die juckte.

„Juckhaut", sagte sie auf Sophies fragenden Blick hin nur. Etwas ging ihr unter die Haut, juckte dort, wo die Nervenenden liegen. Milben, Flöhe, Ungeziefer? Hatten James oder Sophie sie damit beglückt? Eine Unverträglichkeit? Der Frühling und ihre Übersensibilität?

„Verflixt, ich steck in einer Haut, die ich nicht verlassen kann und würd mich so gern häuten, aus meiner Haut fahren!" Sollte sie weinen oder der Sache den Kampf ansagen? Den Kampf gegen wen oder was?

„Von was redest du?" Jetzt fragte Sophie doch nach, „also, Ungeziefer gibt es hier sicher nicht – so sauber, wie ich bin. Und James, der leckt sich doch auch immerzu sauber."

„Sophie, meine Haut! Ich kann nicht aus meiner Haut raus: Freiheit will geboren sein und Freiheit braucht Mut. Auch die finanziellen Fragen kratzen mich an. Und etwas anders zudem ..."

„Tut mir leid, von Geld versteh ich nichts. Unsereins lebt ohne ganz gut und ohne Ungeziefer auch ..."

„Weißt du Sophie, was ich wagen will?"

„Nee, das Gerede von Mut und Wagnissen versteh ich nicht"

„Na ja, weiter so ähnlich leben wie jetzt: In die Richtung meiner Träume gehen, gern am Meer; schreiben und auch etwas Handfestes tun, reisen, präsent sein, kochen, spazieren gehen, wandern, singen, wahrnehmen, bei Karl sein, gemeinsame Zeit, gute Zeit. Als wär sie ewig. Weil sie das nicht sein wird. Und vielleicht irgendetwas anbieten: Eier, Gespräche, Organisation, Schreibhilfe, Deutschunterricht ... so etwas."

Ihr Denken wurde im Aussprechen zerfasert.

Sie musste sich anders ausdrücken. „Sophie, ich komm gleich zurück. Ich kauf mir Creme für meine Haut und Pinsel, Kleber und Papier ... ich zeig euch was von meinen Träumen."

„Inga, was auch immer du vorhast, ich suche James und geh raus – bis dann!"

Als Sophie wieder reinkam hatte sie dann doch eine Frage: „Was machst du denn eigentlich zu Hause in deiner Firma? In drei Wörtern, bitte. Ich habe nicht allzu viel Zeit …, auch, weil ich noch so viele Fragen an dich habe."

Inga schaute erstaunt und dann schoss es staccatomäßig aus ihr heraus:

„achtstundensitzenund

Besprechungenundteamsitzungen

undAnalysenundBildschirmarbeiten. – So, das waren drei Worte."

„Zwar gemogelt, aber so ist das ja vielleicht mit deiner Arbeit: Hauptsache viel reinpacken."

Inga zeigte der Katze das Bild, das sie nach dem letzten gemeinsamen Gespräch gemalt hatte. Sophie schaute interessiert: „bunt und rund …, ein bisschen wie eine Pizza, die würde vermutlich ganz gut schmecken. Was soll das sein?"

„Hm, vielleicht eine Bildpizza: Papierteig und alles was schmeckt oben draufgeklebt. Ein schmackhaftes Potpourri," Inga schaute auf ihre zusammengeklebte Collage.

„Versteh ich nicht", Sophie wurde ungehalten. „Also, meine anderen Fragen gehen auch in die Richtung: Was genau denn da kommt, wenn du hier weg bist: also deine Stadt, wo du denkst, keinen Platz für James und mich zu haben, dein Leben da … Wie sieht das denn aus? Oder wie sollte es aussehen? Aber auch kurz, Inga! Manchmal redest du so anstrengend."

Mittlerweile war James reingekommen. Er schüttelte sein Fell. Draußen hatte es zu hageln begonnen, „kalt! Vielleicht ist es dir hier einfach zu kalt", brummte er.

Inga sah von James zu Sophie und wieder zurück. „Ja kalt ist es mir hier mitunter, James, da hast du Recht."

„Von was redet ihr überhaupt?" James knurrte ungehalten.

„Inga denkt über ihre Stadt und ihre Arbeit nach, und sie will viel Zeit haben in ihrer Stadt, so wie hier und ihren Karl und sonst wen treffen und ihre Firma ist im Weg. In solchen Firmas verdienen Menschen aber Geld und damit kaufen sie Essen und Hundefutter und Tische und Autos und was weiß ich."

James wedelte mit dem Schwanz, „ach so ...! Schwierig!"

Inga spürte erneut ganz deutlich, wie sehr ihr die beiden ans Herz gewachsen waren, „wie gut, dass ich die vielen Bilder von euch habe, die werd ich zwischen meine Pizzabilder hängen ... na ja Sophie, so ein bisschen Firma auf der Pizza wär vielleicht ganz schmackhaft. Man ist wichtig in so einer Firma und zuständig für dies und das. Eben ein Platz, um irgendwie wichtig zu sein."

„Findest du dich dann wichtig oder andere dich?"

„Oh, Sophie ... vielleicht fragt das gar keiner. Es ist so eine ungefragte Wichtigkeit, die manchmal guttut."

„Was für ein Quatsch", James kam nicht mehr mit, „mir tut es gut, gestreichelt zu werden, leckeres Futter, weite Spaziergänge, mit Sophie spielen, ab und zu ein

Gespräch ... eine Hundefreundin wär natürlich auch nicht zu verachten und ein Plätzchen am Kamin jeden Abend ... aber ungefragte Wichtigkeit – was soll das denn sein?"

Sophie schloss sich ihm an: „Ich fühl mich wichtig, wenn du meinen Rat willst, Inga, und ich finde es wichtig, dass ich mich putze, damit mein Fell schön glänzt, ich bin eine wichtige Mäusepolizistin und es ist wichtig zu schmusen und ab und zu den Kater aus der Nachbarschaft anzulocken und zu verführen. Zu einer ungefragten Wichtigkeit fällt mir gar nichts ein. So was kenne ich nicht. Ist Quatsch, glaub ich."

„Ja vielleicht." Inga seufzte. „Menschen müssen Geld verdienen, wisst ihr ..."

„Inga, jetzt sprichst du mit so einer Grabesstimme, als sei das eine Krankheit oder ein Übel ... kann Geldverdienen nicht auch Spaß machen, wie ein Spiel?"

„Vielleicht schon, Sophie. Vielleicht. Ja natürlich ... Vieles, was Spaß macht, kostet aber auch Geld."

„Kompliziertes Menschenleben!" James bemühte sich, an der Unterhaltung teilzunehmen.

„Nö, James vielleicht bin nur ich gerade kompliziert. Sophie hatte eine gute Idee. Die Verteilung in dem Bild zu verändern, das könnte was bringen. Mehr in der Sonne sitzen und von da aus mein In-der-Firma-hilfreich-Sein einbringen, zwei bis dreimal die Woche vielleicht. Da wäre dann Platz für richtig viel anderes, zum Beispiel für einen bunten Garten."

„Das klingt schön, Inga. In einem Garten hätten aber James und ich doch auch noch Platz!?"

„Sophie, ich habe aber bislang gar keinen Garten!"

„Du kriegst aber einen – so, wie das klingt. Komm James, ich glaub, Inga macht noch so ein Pizzabild, wofür auch immer das gut ist ..."

Inga sah den beiden nach. Sie lächelte. Eine Träne rollte über ihr Gesicht.

Wie misst man Glück?

Inga verbrachte die letzten Wochen und Tage damit, herauszufinden, was aus all jenen Menschen geworden war, die ihr in dieser Zeit der Abgeschiedenheit vom herkömmlichen Alltag zugefallen waren.

Wer, wenn nicht Ole, eignete sich dazu, noch einmal über alles zu sprechen? Zudem hatte sie sich gar nicht mehr bei ihm blicken lassen, seit Knie und Gelenke wieder geheilt waren.

„Hallo Inga", Ole hatte sie schon kommen sehen. „Ehrlich gesagt, hab ich auf dich gewartet. Ich habe ein paar Jahre gebraucht, um niemanden mehr zu brauchen. Und jetzt merke ich, dass ich auf dich warte. Du bist in mein Weltkonstrukt eingedrungen, hast da einiges durcheinandergebracht."

„Kein Mensch kann allein leben. Das ist doch keine neue Erkenntnis, Ole", Inga stellte die mitgebrachte Flasche Wein auf den Tisch.

„Ich wollte aber nicht mehr abhängig von anderen sein!"

Inga umarmte ihn kurz und fest. „Ich wollte diesen Abend mit dir verbringen. Außerdem habe ich einen Satz gefunden, der zu uns passt: Da hat einer ein Buch geschrieben, mit dem Titel ‚Wozu sind Wurzeln gut?' Und seine Essenz lautet: ‚Es kommt nicht darauf an, wo, sondern dass man Wurzeln schlägt.'"

„So, so und dazu willst du jetzt meine Meinung hören?" Ole ging an den Schrank und holte Gläser.

„Na ja, ich merke, dass ich mich selbst korrigiere: ‚Irgendwo stranden' ist was anderes als ‚irgendwo Wurzeln schlagen', oder ‚Wurzeln mitnehmen'. Diese Gedanken wollte ich mit dir teilen."

„So so ..." Ole schenkte Wein ein,

„Du gehst also bald ... Sprichst du davon?"

„Ja, vielleicht. Aber darüber hinaus spreche ich davon, dass mehrfaches Wurzelschlagen möglich ist. Vielleicht nicht für alle Menschen – wie ja auch nicht für alle
Pflanzen. Aber grundsätzlich ... Ich meine zu verstehen,
dass du hier nicht nur gestrandet bist, sondern dass du
Wurzeln geschlagen hast."

„Prost Inga!" Ole schaute sie ernst an, „ich glaube,
ganz so einfach ist das nicht. Aber es tut mir gut, wie du
darüber nachdenkst. Zu gut, wie du weißt ..."

Sie schwiegen eine Weile, dann setzte Ole unvermittelt neu an, „Weißt du, ich glaube, ich habe den Selbstmord meines Vaters nie wirklich verdaut, ihm nie ver-
ziehen, dass er mich mit meiner Mutter allein gelassen
hat. Die Wut auf alle beide kommt manchmal mit solcher
Wucht wieder, dass ich froh bin, hier alleine zu sein.
Dann hacke ich Holz für den Kamin oder gehe stundenlang ans Meer. Vielleicht sollte ich aktiv werden, mich
für die einsetzen, die sich ähnlich gehetzt fühlen wie
mein Vater es tat ... Vielleicht sollte ich eine Therapie machen, etwas, das meine ewig depressive Mutter versäumt

hat. Ich lebe stattdessen hier vor mich hin, Inga. Wer weiß schon, was das bessere Leben sein könnte?"

„Bist du glücklich, Ole? Manchmal wenigstens?"

„Ich frage mich: Wie misst man Glück? Wie lang, wie kurz oder breit ist es?" grummelte Ole, „klar bin ich manchmal glücklich, zum Beispiel jetzt mit dir hier am Tisch zu sitzen, Wein zu trinken und das Meer zu sehen; ich bin glücklich, wenn die ersten Blumen kommen, wenn ich etwas lese oder höre, das mein Gemüt anspricht, wenn die Sonne mal scheint in diesem Regenland ..."

„Hm, ich meine: Würdest du sagen, dass du ein glücklicher Mensch bist?" Inga blieb hartnäckig.

„Mal ja, mal nein. Meine Antwort wäre tagesformabhängig, so sagt man das doch in modern, nicht wahr? Und du Inga, wo wirst du Wurzeln schlagen und versuchen glücklich zu sein, wenn nicht hier ...", er lachte sie an,

„ach Ole ... Ich hab daran gedacht, bei meiner Firma zu kündigen. Die Arbeit dort verhindert mein Glücklichsein, bilde ich mir jedenfalls ein. Ich will neben meinem Liebsten wurzeln. Hast du mal solche Bäume gesehen, die irgendwo stehen und sich ziemlich weit oben, fast an der Krone, nahezu umarmen? So kommt mir das gerade stimmig vor, und dazu brauchen sie einen warmen Boden mit ausreichend inspirierenden Nährstoffen."

„Aha – na dann viel Glück, Inga!" Ole prostete ihr zu. Inga überlegte, was er wohl denken mochte. Sie wagte nicht, ihn danach zu fragen.

„Einfach so zu beschließen, glücklich zu sein, ist schwierig", sagte sie stattdessen,

„so so", antworte er auch diesmal wieder. Inga ließ es dabei bewenden und schlug den Bogen zu ihrem eigentlichen Anliegen: „Ole, ich stelle mir die Frage, was mit denen allen ist, die ich hier kennengelernt habe: Kuno und Gabi zum Beispiel oder Owen, na ja, den sehe ich immer noch seine Muscheln suchen, aber Mary, die sie abtransportiert haben und Brigid und der Stein ..."

„Hmm ... du willst Spuren weiterverfolgen. Deine wird mich verfolgen, Inga!"

Ole schwieg eine Weile und sagte dann: „Also, zu allen weiß ich nichts zu sagen. Kuno und Gabi? Keine Ahnung. Gabi war wohl eine Weile in einer Klinik, sagen die Leute. Ich hab sie neulich beim Einkaufen gesehen. Ordentlich, korrekt wie immer. Keine Ahnung, was sie außer korrekt noch ist und ob das mit der Klinik stimmt. Den Kuno treffe ich manchmal beim Holz oder Briketts kaufen; dann reden wir. Oberflächliches Zeug. Er interessiert sich für Autos, Technik – da kennt er sich aus. Ich weiß es nicht Inga, die leben irgendwie abgeschottet in ihrer Korrektheit. Manche Leute bewundern sie deshalb, auch wegen des Autos, das sie fahren, andere machen sich über sie lustig. Wenn du mich fragst: Ich will gar nicht mehr über sie wissen ..."

„Na ja, etwas ist eben damals am Entenstall aus Gabi herausgebrochen, mir sozusagen direkt vor die Füße ..."

„Ihr sprecht immerhin fast die gleiche Sprache. Und trotzdem bist du nicht so recht greifbar für die beiden. Vielleicht hat das bei ihr irgendwelche Geister geweckt ... Mensch, Inga, ich bin doch kein Psychologe!"

„Nicht?" Sie prostete ihm zu, „aber mindestens so gut wie Sophie. Und an der ist eine Psychologin verloren gegangen. Ja, und Mary?"

„Diese Druiden lassen sich nicht so einfach verbieten, sind offiziell keine Sekte ... Aber da bei Crossmolina leben nur noch ein paar ganz vernarrte, die anderen sind weitergezogen, ausgetreten ... keine Ahnung. Von Mary weiß ich, dass sie sich erholt hat. Sie lebt jetzt wohl bei ihrer Schwester in Dublin. Vielleicht schlägt sie da ja Wurzeln?"

Ole grinste kurz und sagte dann: „Na ja, hier auf dem Land, so ohne Perspektive, da kommen die Leute auf die merkwürdigsten Ideen, stranden in den unmöglichsten Vereinigungen .."

„Ob die Großstadt besser ist?"

„Du hast Arbeit, Inga. Du kannst überlegen, ob du sie aufgibst oder nicht. Es ist was ganz anders, erst gar keine zu haben!"

„Jawohl, Herr Lehrer", Inga erinnerte sich daran, dass es genau dieser Zungenschlag war, den sie an Ole nicht mochte.

„Du wolltest doch wissen, was mit ihr ist."

„Ja ... schon. Sei nicht beleidigt, Ole ... Brigid wird wohl forschen ... auch über den Stein ...“

„Und das ist gut so. Über die Zeit, als dieser Lookout Post noch aktiv war, sollte man ruhig ein bisschen mehr forschen, mehr erfahren. Auch hier. Brigid wird das gut machen. Die hat das Forschen ja zum Wurzeln-Schlagen in diese Einöde gebracht. Sie nimmt die Einsamkeit für eine andere Leidenschaft in Kauf.“

„Wie im Kloster“, stellte Inga nüchtern fest.

„Tja ... und wer fehlt dir jetzt noch?“

„Du Ole, du! Oder Dave und Jolie ...“

„Ich werde vorerst hierbleiben und hoffen, du kommst mich mal besuchen. Irgendwann zum Kaffee und Zimtschnecken essen, deinen Karl kannst du meinethalben mitbringen. Und deine beiden Vermieter? Ja, die wissen vielleicht nicht, ob sie ihre Wurzeln hier pflegen oder ausgraben und sonst wohin mitnehmen sollen. Es sind eher flüchtige Existenzen.“

„Wie wir alle doch eigentlich, oder?“

„Inga, jetzt bist du die Lehrerin!“ Ole stand auf, schenkte etwas Wein nach, „komm, lass uns zum Fenster gehen. Da draußen wird gerade ein großes Schauspiel geboten ...“ Sie standen lange nebeneinander und schauten zu, wie die Wellen sich kraftvoll an den Felsen brachen, sahen in den grauschwarzweißen Himmel, der sich stetig veränderte und lauschten dem rhythmischen Tosen und Krachen.

Sehr spät brach Inga auf.

Abschied

James und Sophie hatten längst begriffen, dass Inga im Begriff war, das Cottage zu verlassen. Die letzten Tage und Wochen verhielt sie sich anders als früher: ferner, gedankenschwerer, fahriger.

James vermisste jetzt schon die Spaziergänge am Meer, Sophie die Gespräche mit Inga. Sie fühlten sich beide schlecht behandelt, sahen, fühlten und rochen aber, dass Inga bereits im Aufbruch begriffen war.

„Wann genau fährst du weg?", Sophie wagte es, die Frage zu stellen.

Inga tat überrascht: „nächste Woche", und ergänzte, „Mittwoch."

„Und bis dahin bist du so, wie du jetzt gerade bist?", Sophie hoffte, dass Inga wusste, was sie meinte,

„ich bin, wie ich bin!" Kaum hatte Inga das ausgesprochen, fing sie an zu weinen, „ich bin empfindlich, lasst mich in Ruhe!"

Sophie ließ nicht locker, „du bist schon die ganze Zeit empfindlich, und wir lassen dich in Ruhe, aber wir lassen dich nicht einfach so gehen." Sie leckte an Ingas Hand.

„Okay Sophie. Ich koch mir einen Tee und dann setz ich mich hin und du am besten auf meinen Schoß."

„Und ich?" James wedelte mit dem Schwanz,

„du setzt dich zu uns." Inga lächelte.

Sie füllte ihre Tasse, tat viel Zucker hinein, stellte auch den Tieren ihre Näpfe hin und setzte sich in den Sessel am Kamin, den sie schon seit Tagen nicht mehr angezündet hatte.

„Ich werde Ole noch ein letztes Mal einladen, was meint ihr?"

„Unbedingt, und was Leckeres kochen – beziehungsweise Wein einkaufen, oder beides – wie immer eben ..." Sophie nickte.

„Und ich werde zum Abschluss noch einen Berg besteigen, glaub ich ...", Inga richtete den Blick zum Fenster, schaute in die Ferne.

Sophie hielt es nicht mehr aus, „Inga, irgendwas stimmt doch nicht. Du freust dich gar nicht. Ich meine, dein Karl wartet doch, und was weiß ich, wer und was noch alles, bei dir zu Hause und ..."

„Es gibt keinen Karl", purzelte es aus Inga heraus.

„Es tut mir leid Sophie, es tut mir leid James ... die Geschichte war erfunden. Ich fand das irgendwo gut, so einen Karl im Hintergrund zu erfinden und ihr habt ihn mir geglaubt ... Es gibt einen Karl, aber ehrlich gesagt, den kenn ich nur flüchtig und er interessiert mich kein bisschen. Meinen, der, von dem ich euch erzählt habe, den hab ich mir zurecht gedacht. Realer ist da schon der Benjamin, dem hab ich auch ab und zu geschrieben, aber ich weiß nicht so genau ... Euch hab ich davon lieber erst gar nichts erzählt ..."

„Manchmal hab ich dir diesen Karl sowieso nicht geglaubt, Inga, und da hast du trotzdem weitererzählt ...", Sophie fauchte.

Inga hielt sich die Hände vors Gesicht. „Ja. Ich war da plötzlich ganz und gar drin, in dieser Karl-Idee."

„Und du hast auch Ole was vorgemacht", ergänzte Sophie, James schüttelte nur noch den Kopf.

Inga weinte, „ich versteh mich ja selbst nicht. Ich war so verliebt in diese Idee."

„Du bist merkwürdig, Inga!" Sophie begann wieder, Ingas Arme und Finger zu lecken, die wie hilflos an ihr herunterhingen. James kuschelte sich dichter an Ingas Beine.

„Und jetzt?" Sophie beantwortete sich ihre Frage gleich selbst, „jetzt fährst du zurück, irgendwohin, wo es gar keinen Karl gibt und uns und Ole und das Meer und den Kamin und die Hühner und Enten lässt du hier ... hm ... dein Herz ist vermutlich durcheinander, denke ich, auch, wenn ich Menschenherzen nur bedingt verstehe. Und was ist dann nächsten Mittwoch, wenn du wieder nach Hause kommst?"

„Ich weiß es nicht, zum zweiten und ja, zum ersten. Ja, mein Herz ist durcheinander. Ich würde mir wünschen ... keine Ahnung. Oder doch, vielleicht ...", Inga sprach sehr leise.

„Wirst du das Ole sagen, wenn du ihn morgen einlädst?"

„Nein, ich glaube nicht."

„Hm" – warum?" Sophie wollte es jetzt genau wissen.

„Wie soll er verstehen, was ich selbst nicht verstehe?"

„Manchmal verstehen andere besser als man selbst, was los ist."

„Oh Sophie, du bist so unverbesserlich weise ...", Inga streichelte gedankenverloren in dem weichen Katzenfell herum.

„Und du manchmal so unverbesserlich merkwürdig, Inga. Immer muss man auf dich aufpassen!"

"Wer soll das denn jetzt machen, das Aufpassen?" James fühlte sich in seinem Element.

Sophie grinste, „Karl ..."

Inga musste lachen. „Ich pass auf mich selbst auf, ihr Lieben. Und die Bilder von euch, die hab ich ja immerhin. Die habe ich übrigens selbst gemalt, alle. Und dann so getan, als ob ein Päckchen käme ..."

„Oha ... wie raffiniert, aber die Bilder sind gut!" Sophie war fassungslos. „Ist an dir eine Künstlerin und Betrügerin verloren gegangen?"

„Nicht raffiniert Sophie – ich weiß nicht ... so ist das, wenn man anfängt, an eine Geschichte zu glauben. Plötzlich ist es so, als sei sie wahr."

„Echt?" James stand auf, lief hin und her, „dann gibt es das bestimmt öfter ..."

„Wahrscheinlich öfter, als wir denken."

„Inga, und warum steigst du jetzt aus der Geschichte aus?" Sophie traute sich zu fragen.

Inga schwieg erst eine Weile, „weil es anstrengt, auf Dauer einer Geschichte zu glauben statt dem, was ist."

„Und was ist?"

„Ach James, das ist eine andere Geschichte. Die muss vielleicht erst mal richtig beginnen. Ich bin hergekommen, weil mich alles Mögliche genervt hat, weil ich nicht glücklich war, weil ich angestrengt war. Das reicht doch. Und da gehören natürlich Menschen dazu, aber mit denen setze ich mich auseinander, wenn ich wieder zu Hause bin. Ohne einen Karl, der alles versteht und sieht und zurechtrückt ..., vielleicht mit einem anderen ‚Karl' – vielleicht auch nicht", Inga schüttelte den Kopf.

„Wisst ihr noch, als Gabi hier war? Sie und ihre fixe Idee von Brian, dem Taxifahrer? Sooo viel anders bin ich selbst auch nicht ... oh weia!"

„Inga, Inga ...", jetzt lief Sophie hin und her, „du brauchst doch gar keinen Karl. Du bist stark, du lernst gern Menschen kennen, und die finden dich doch nett ... also ...?"

„Schon, Sophie ... echte Menschen sind sehr kompliziert ..."

„Aber ein unechter Karl? ... Also, Inga, wirklich!"

Inga weinte und lachte gleichzeitig. „Ab ans Meer, alle zusammen ... Auf jeden Fall kann ich euch jetzt wieder unter die Augen treten, das ist das Wichtigste. Und dann verabschiede ich mich gebührend, und zu Hause kommt, tja was? Später eben. Das ist eine andere Geschichte. Also los!"

Es wurde ein langer, ausgelassener Spaziergang.

Zurück im Cottage, zog Inga sich zurück. Was bedeute es, eine Idee geliebt zu haben? Ihr Karl, ihre Idee, mit ihm in eine neue Zukunft zu gehen, der Traum von etwas Großem, Neuem?

Geplatzt! Und was würde wirklich sein?

Sie weinte. Mal wieder.

Ihre Verliebtheit in die „Idee Karl" aufzugeben, würde zwingend bedeuten, nun ihre Perspektive ändern zu müssen. Vielleicht war es das, was sie insgeheim gewollt hatte?

Sie konnte nicht weiter darüber nachdenken. Stattdessen ging sie einkaufen. Der Abschied von Ole stand bevor, und dafür wollte sie vorbereitet sein. Das war das Nächstliegende. Und sie erledigte es. Fast routiniert.

Am darauffolgenden Mittwoch brach Inga frühmorgens auf. Sie durchschritt noch einmal jeden Raum des Cottages. Beißender Putzmittelgestank übertünchte die noch vorhandenen Geruchsspuren von Torfbriketts, Toast und Duschgel. Bliebe das Haus ein paar Wochen unbewohnt, würde bald modriger Staub alles überlagern.

Draußen war die Luft wie immer salzschwanger und feucht, es roch nach Erde und Gras.

Die Hühner scharrten am Verschlag, die Hähne unterbrachen mit heiserem Krähen das Entengeschnatter und das Meer war an diesem Tag ruhig. Nur James und Sophie waren noch ruhiger.

Bevor sie in den Wagen stieg, nahm Inga beide noch einmal fest in die Arme, „take care", flüsterte sie in Sophies linkes und James' rechtes Ohr. Dann stieg sie in den Wagen und fuhr los.

Im Rückspiegel sah sie die beiden winken.

Frei-Flug, oder: halbe Zeiten später

Inga schaute auf den Baggersee, der schillerte grünblau. Sie lehnte an einem großen Stein und fühlte ihren Rücken. „Der ist stärker geworden", dachte sie, während sie ölige Sonnencreme auf ihren Beinen, Armen und dem Bauch verteilte, Pigmente betrachtete, Falten, Farbnuancen. Irgendwann hatte sie gelernt, schon an ihrer Hautoberfläche zu sehen, was zu weit ging, was ihr unter die Haut ging, was darunter saß.

Der See am Rand der Stadt verwandelte sich, je länger sie aufs Wasser schaute, in „ihr" Meer. Sie schloss die Augen und hörte das Wellenaufundab, sah die Schaumkrönchen, meinte, das Salz auf den Lippen zu schmecken.

Dann stand sie auf und lief zum Wasser. Sie schwamm weit und lange. Irgendwann kraulte sie zurück, setzte sich wieder und schaute in die Ferne, dachte an die Zeit, als sie einfach weg war und an das Danach, die Zeit des Wiederankommens.

Manchmal, selten, ließ sie die Kolleginnen an ihren Erlebnissen teilhaben – Inga lächelte, als sie an die Geschichte im Café vor einiger Zeit dachte. Sie war zu ihrer eigenen Überraschung mitgegangen, obwohl sie dieses Ritual lange boykottiert hatte, so wie sie auch ihre Bürowände eine Weile völlig kahl gelassen hatte: „Irgendwann hau ich sowieso wieder ab ..., das fühlt sich gefan-

gen an hier", hatte sie gesagt und an den Kündigungs-
brief gedacht, den sie in Irland geschrieben hatte. Sie
hatte ihn nicht abgeschickt, hatte nicht gekündigt.

Sie hatte zusammen mit den Kolleginnen auf der Bank
vor einem kleinen Café gesessen, hatte sich wegge-
träumt, an die Küste Irlands gedacht.

Sie hatten Suppe, Salat, Kaffee, Wasser bestellt, den
Moment des Ausruhens genossen.

Inga erzählte selten von den Monaten in Irland. „Weg-
geflogen ist sie", hatten die Kolleginnen in ihrer Abwesenheit wohl immer gesagt und sich überlegt, was Inga
wohl gerade machte, während sie in Besprechungen saßen, Papiere erarbeiteten, um Lösungen für die Belange
anderer rangen. Das hatten sie ihr hinterher erzählt.

Menschenmüde sei sie, hatte Inga vor ihrer Reise gesagt, als sie sich die Freiheit genommen hatte, zu gehen.

„Die irische Küste ist ein Vogelparadies." Während
sie vor dem Café standen und den Taubenkot wegwisch-
ten, der auf ihren Jacken gelandet war, hatte Inga von
Hühnern und Enten zu erzählen begonnen. Darüber, wie
intensiv sie hatte sinnieren können: über das Freifliegen,
die Lust, das Vögeln, über Zugehörigkeit, Beheimatung
und Sehnsucht ... Birte und Silke hatten an ihren Lippen
gehangen.

„Und? Von wo nach wo gehst du?", hatte Birte gefragt
und Inga war ausgewichen: „Bleibe ich? Hier? Oder
dort? Oder woanders? Wann ist Zeit für das eine, wann
für das andere? Fliegen, landen, weiterfliegen. Spüren,
wann was stimmt ..."

Birte hatte von einer zur anderen geschaut, und dann festgestellt: „Vögel können das. Vögel sind stark und Vögel sind zerbrechlich." Inga hatte an ihre Busfahrt von Dublin nach Mayo gedacht.

„Wenn ich ein Vöglein wär, flög ich zu dir", hatte Inga erwidert, ohne weiter darauf einzugehen.

Die Szene hatte Folgen: Ein paar Tage später hatte Silke sie angerufen. „Erbärmlich" hatte sie gemeint, „wenn du von der langen Reise nichts weiter als ein paar vage Eindrücke mitgebracht hast und dort nichts anderes zu tun gehabt hast, als Vögel zu füttern! Wirklich erbärmlich!"

Silke hatte sich in Fahrt geredet, mitten in Ingas Unbehagen hinein, hatte irgendetwas verlangt, eine Art Exotik, einen Bericht über Menschen, bizarre Erlebnisse, etwas Verwegenes, etwas Großes.

Inga hatte versucht zu erahnen, um was es Silke eigentlich ging. Das konnte schon deshalb schwerlich gelingen, weil sich, während sie telefonierte, ein Vögelchen – war es eine Goldammer? – durchs offene Fenster in ihre Wohnung verirrt hatte. Der Vogel war im Nachbarraum herumgeflattert. Inga hatte gehört, wie er im Flug gegen die Fensterscheibe gestoßen war, abprallte, wieder und wieder.

"Nicht sterben, nicht sterben …",

Inga hatte sich nicht imstande gefühlt einzugreifen, zu sehr bannten sie Silkes Schimpftiraden. Die hielten sie auf merkwürdige Weise gefangen, geboten ihr, auf dem Stuhl sitzen zu bleiben und den Wort-Schwall zu ertragen, „kleiner Vogel, halt durch!", hatte sie im Stillen gebetet.

Silke hatte dann aufgehört zu reden, erneut eine Reaktion erwartet. Die war ausgeblieben.

„So geht das nicht!" Inga hatte den Hörer umklammert. Mehr Worte würden jetzt nicht mehr kommen, hatte sie gewusst und aufgelegt.

Der Vogel hatte verängstigt auf dem Fensterbrett gesessen. Als Inga sich ihm näherte, war er unruhig geworden, flatterte wie irre mit den Flügeln. So hockte er eine Weile, auch dann noch, als sie das Fenster neben ihm schon geöffnet hatte.

Irgendwann war er davongeflogen.

„Frei-Flug", Inga gefiel das Wort.

Jetzt saß sie hier an diesem Baggerseeidyll, verscheuchte Mücken von sonnencremiger Haut, sah im Wasser einen Surfer fallen, sich wieder auf sein Brett ziehen und auf den übriggebliebenen beigen Grasbüscheln einer vertrockneten Wiese ein paar Jungs ein freies Feld suchen, um dort ungestört kicken zu können.

„Ich brauche es wärmer", hatte sie einmal zu Ole gesagt. Sie seufzte und verstrich weiter Creme über ihre Beine.

„Das Meer ist dramatisch", erinnerte sie sich, „ein dramatisches Meer, zwei Tiere und ich – ein einziges Fragezeichen. So war das ... Ich bangte und hoffte abwechselnd, musste mich auf Enten einlassen und bei James und Sophie sein, immer nah an diesem riesigen, sich ständig selbst verändernden Wasser. Ich musste Ole kennenlernen und was weiß ich, wen noch alles ... und im Sturm stehen, und konnte nichts machen außer warten ... auf was eigentlich?"

Inga fingerte eine Zigarettenschachtel aus ihrer Badetasche, rauchend blies sie ihre Gedanken in die Luft. „Aber es hat was gemacht mit mir, dieses Warten und die Zeit und das Meer. Sowohl das Bleiben als auch das Lassen, weder das Bleiben noch das Lassen – Bleibenlassen ... Ich hab ein paar Gespenster im Meer gelassen und mir bewiesen, dass ich, wenn ich allein im Sturm und in dieser gigantischen Weite stehen kann, stark genug für alles andere sein werde. Auch frei genug. Ich hab dort beschlossen, mich nicht weiter abzuquälen mit Dingen, die nicht meine sind, um allen und jedem zu gefallen, oder was weiß ich. Ich bin unabhängiger geworden ... auch von irrealen Träumen ... zum Beispiel diesem Karl ..." Inga seufzte.

Sie träumte nicht mehr von „Karl". Dafür suchte sie, seit sie zurückgekommen war, die Sache mit Ben zu entschlüsseln: Benjamin gab es schon lang in ihrem Leben. Und er liebte sie, schon bevor sie diese Reise angetreten hatte.

„Benjamin Blümchen" nannte er sich selbst manchmal, vielleicht wegen seiner Liebe zu kleinen Abenteuern und großen Zuckerwattestielen, vielleicht auch, weil er die geduldige Energie eines Elefanten besaß und das Kaputtgehen von Dingen, von allem, von vornherein in Kauf nahm. Er wurde nicht müde zu unterstreichen, dass für ihn alles meist einen guten Verlauf nähme, allen Unkenrufen zum Trotz.

Deshalb hatte er auch keinen Einwand vorgebracht gegen Ingas Idee, eine Auszeit zu beginnen. Sechs Monate waren ein halbes Jahr, ein halbes Jahr ohne sie, sozusagen nur eine halbe Zeit. Was war schon Zeit?

Benjamin verheddert sich oft in der Zeit, er konnte sie vergessen und verlieren. Inga mochte es nicht, wenn er der Zeit hinterherrannte. Oder mit seiner Zeit einfach tat, was er wollte. Er hasste es, auf irgendeinen Zeitpunkt festgelegt zu werden. Und verlor nicht selten Zeit mit Dingen, die ihm aus der Hand glitten.

Dann war Inga irgendwie weggeglitten. Ben hatte Sorge gehabt, Inga zu verlieren. Sie würde ihm ja nicht gehören, hatte sie gesagt. Wäre sie ein halbes Jahr lang weg, wäre das doppelt so viel Zeit für ihn allein, hatte er sich vorgerechnet und versucht, auch daraus ein Glück für sich zu schmieden.

Als Benjamin realisiert hatte, was es bedeutete, ohne sie zu sein, war schon mehr als die Hälfte dieser halben Zeit um. Er hatte die ganze Zeit auf sie gewartet. Wann ist eine Zeit eine ganze Zeit? Wann eine halbe?

Inga hatte ihm Briefe geschrieben. Die steckten in kleinen, braunen Umschlägen und erzählten von ihrer Auszeit. „Feldpostbriefe" hatte er sie genannt: „Wie im

Krieg, sie geben den Menschen das absurde Gefühl, dass man zusammengehört, obwohl völlig unklar ist, ob man sich je wiedersehen wird." Etwas, eine kleine Hälfte von Ingas Zeit war darin aufgeschrieben – für ihn. Die andere, viel größere Hälfte hatte sie dort allein gelebt, war Träumen und Sehnsüchten nachgehangen, in denen er sie nur schwer oder gar nicht erreichen konnte.

Benjamin malte. Er wusste, dass Inga das auch tat, ab und zu. Er hatte ihr seine Bilder gezeigt und ihr auch die ein oder andere Maltechnik beigebracht. Als sie weg war, hatte er ein Bild über die Zeit und die Zeitlosigkeit, die verstrichene Zeit und die vertane Zeit gemalt. Es war ein Bild mit weiten Schwüngen, eng getakteten Strichen, ineinanderfließenden Wolken aus unterschiedlichsten Farben.

Als Inga es sah, hatte sie sein Bild „eine Zeit und zwei Zeiten und eine halbe Zeit" genannt und es neben ihre Bilder von James und Sophie und ihre Collagen gehängt.

Sie hatte Benjamin dann von den beiden Tieren erzählt, vom Wind und der Küste, vom Lookout Post Nummer 64, der Algensammlerin und später auch von Owen, zuletzt von Ole. Sie hatte gespürt, dass sie nun eine Geschichtensammlung besaß und dass Ben ihr gern zuhörte. Als sei er ein anderer geworden, hatte Inga gedacht, Benjamin-Karl müsste er jetzt heißen, hatte sie beschlossen und ihm gesagt, dass sie ihn liebe.

„Frei-Flug", Inga gefiel das Wort jetzt erst recht. Sie legte sich in den Sand neben dem Stein und ließ sich traumverloren von der Sonne streicheln.

Printed in Poland
by Amazon Fulfillment
Poland Sp. z o.o., Wrocław

83482103R00176